GUN SMITH CATS

SONODA KENICHI

5

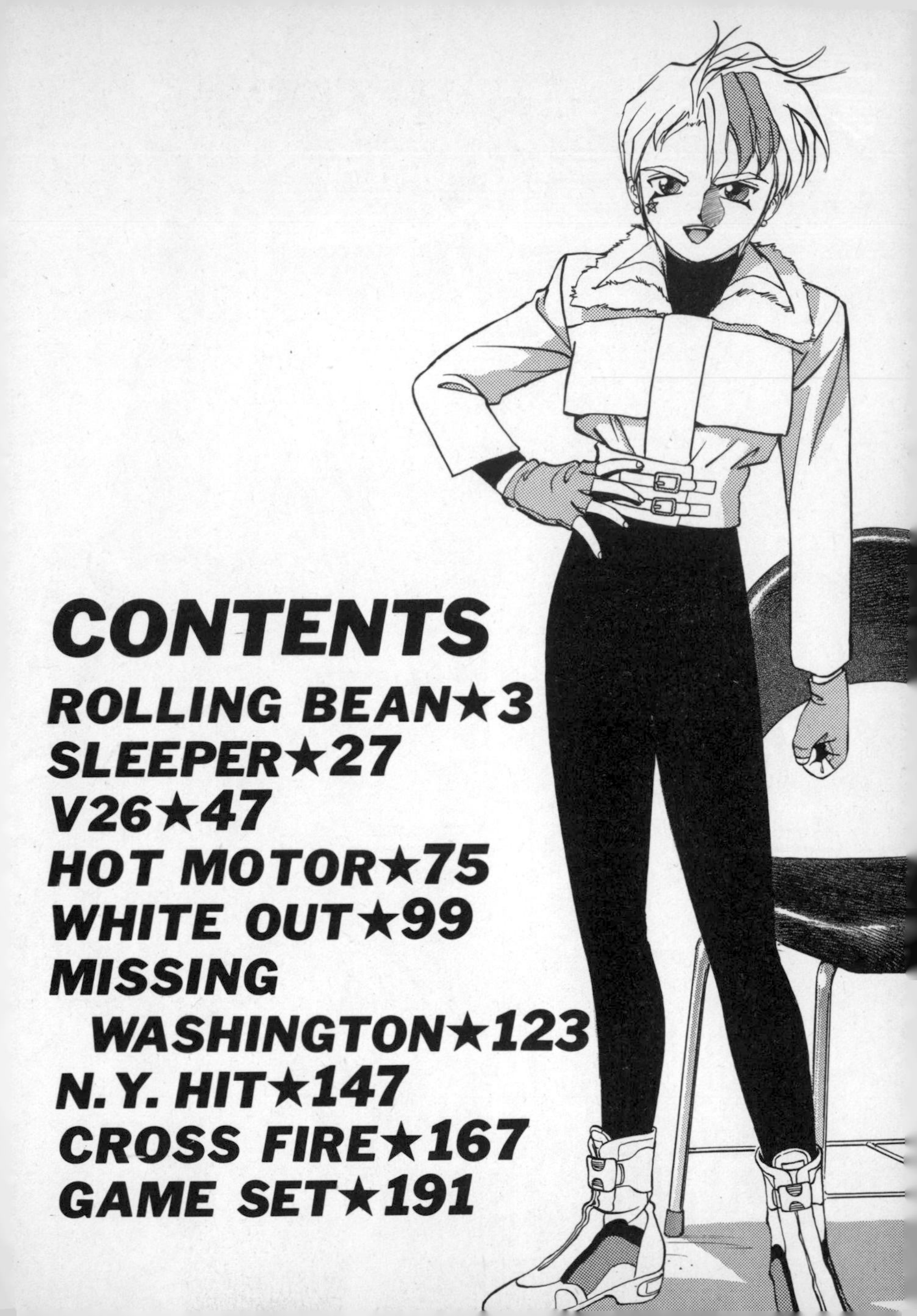

CONTENTS

ROLLING BEAN★3
SLEEPER★27
V26★47
HOT MOTOR★75
WHITE OUT★99
MISSING WASHINGTON★123
N.Y. HIT★147
CROSS FIRE★167
GAME SET★191

ガンスミスキャッツ

アフタヌーンKC

GUN SMITH CATS

CHAPTER 35
ROLLING BEAN

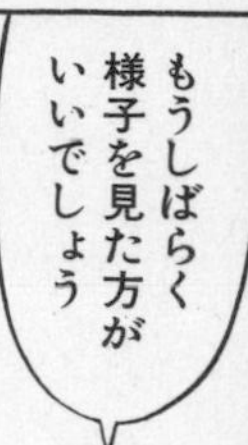
もうしばらく様子を見た方がいいでしょう

え？
厄介なんですよこの〃ケロシン〃ってヤツは……
新しすぎて症状に関するデータが少ない上に幻覚症状も強い
その上あなたは短期間のうちに何回か射たれてますね？
あれから2週間もたってるんですよ
FBを起こす可能性もあるし……
コーヒーやカゼ薬で後遺症が出たりする事もありますから

とにかく今はまだ書類にサインは出来ませんなァ
発作を起こすかも知れない人間に銃を持たせるわけにはいきませんからねェ

……分かりました
いっその事ハンターなんかやめたらどうです？

は？

大体 賞金稼ぎってのは 元警官や軍人がやってるもんですよ
なんで23歳のあなたがライセンスなんか取れたんですか？
はは はは……まァそれはその色々と……
苦労したんですよ
あなたねェ……有名ハンターだといい気になってるようだけど
はっきり言って運が良かっただけですよ！
若い女には無理な仕事なんだから

今回みたいな失態をまた演じないとも……
よ……

よーく分かりましたっ!!
ご忠告どーも!!

パラ……

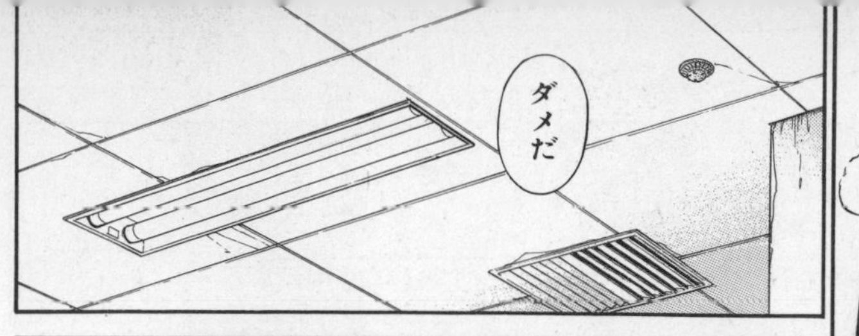

ダメだ

そんな顔してもむだだぞ
医者のOKが出ない限りライセンスの停止が解けるわけないだろ

でも……
ハンターのライセンスだけじゃなくて銃の携帯許可も店の営業免許もよ
大丈夫！必ず戻るってま 1ヵ月は見といた方がいいがな

それより お前 左脇がふくらんでるが……
まさか……

電話……

まぎらわしいなァもォ……
へへ……ホルスター着けてないとさびしくて……
あらァラリー!?

犯人の目の前に銃口つきつけるとこまでいって取り逃がしたんだってェ!?
めずらしいじゃやない!!
バンッ

ケイト!ばっ……

いやーっでも最初ロイに向かってぶっぱなしたって聞いた時はびっくりしたわよォ
ラリーがプッツンしたかと思っちゃった

ガタッ
いけない事言っちゃったかしら……
バカかお前は!!

Budweiser
Marlboro
OLYMPIA BEER
TODAY'S LUNCH
こォんな事になったのもみーんな……

あのアゴ男のせいよっ!!
ガキャッ

あいつのおかげでうちの信用はガタ落ちだわ
何とかしないと死活問題よ!!

今月は仕事なし?
当然よ!!

ラッキー♪
月末まで
ケンの所に
住み込ん
じゃお♡
……メイ
あんた最近
共同経営者としての
自覚に欠けてない？
はい
どォぞー♪
ゴトッ

頼んで
ないわよ
……

あたしの
おごりよ
気にしないで
ラリー

フェイ……

味方は
フェイだけ
だわァ……
あらら

——でさァ
かわりと
言っちゃ
何だけど
今日　明日
コブラ貸して
くんない？

あたしの
彼がさァ
ムスタング
フリークなのよ
あ かわりに
あたしのミニ
貸すからさァ
どうせ今
犯人取り逃がしたせいで
停職中でしょ？
チェイスしないでしょ？

……ちょっと
違うわよ
取り逃がしたんじゃ
なくてェ……
シカゴNo.1の
運び屋ビーンに
じゃまされたの!!
ビーン？
聞いた事
ないわよ
いるのよ！
そーいう
最低の
ゴミムシ男
がっ!!
ラリー！
窓の外っ!!

ビーン!?
メイ！
変装道具
ある？
ム　ムースと
ファンデーション
ぐらい……

フェイ！
キーを交換
してっ!!
おっかける
のね！
ばっ
あたし達も
コブラも
面が割れてる
からね！

ビーン
今度こそ!!
つけを払って
もらうわ!!
ばっ

ガムッ
キュロッ
ドルンッ
ZIP 101
ブォオォン
行くわよ
ゴクッ
グオンッ
ブロロロッ

ラリー
その頭
変よ

人の事を
言えたもんじゃ
ないでしょ!?
それより
ベッキーを
出して

それにしても
大丈夫かしら……
あたしたち
丸腰なのよ
ピポパッ
ピポパポッ

いざとなれば
ライフルと
ショットガンが
あるし……
これフェイの
車よっ!
積んでないわ!!

しまっ……

ラリー……
やばくなったら
すぐ逃げるって
約束してくれる
?
これは
仕事じゃ
ないんだから

……OK
はい
出たわよ

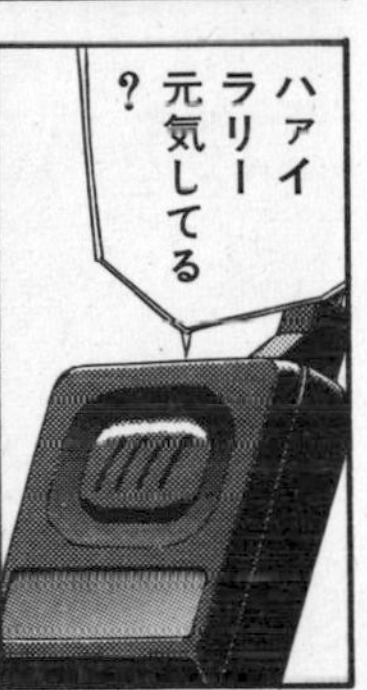
ハァイ
ラリー
元気してる
?

すぐに
応援
頼むわ!
今 尾行中の
車を……

お金は
出るんで
しょうねェ
ラリーはあたしに
借りがあるのよ

なっ……！
ちょっと
ベッキー!!
先日 銃を
拾って助けて
あげたでしょ？
ビーンからの
請求書と あたしの
メガネの修理代も
たまってんのよ

ビーンの
請求書も
ラリーのために
依頼したんだから
8割は持って
欲しいもん
だけど……
ガチャッ
あら……
ベッキーっ
たら……
今のこっちの
ふところ具合
知ってるくせに
尾行……
やめる？
冗談!!
アジトを
つきとめて
やるわ！
ガムッ

HOT LEG
GIRLS ON STAGE LOVE TEAMS SHO
MARTHE STORCH PENNY ZUBER
あやしげな所に……
お……

グラスか？
ビーンだな……

今回の仕事の規模にしちゃあ……
チープな打ち合わせ場所だな

100万ドル程度のブツの輸送に気遣いは無用だ
さ 座ってくれ

よォ姉ちゃん飲まんか？おごるぜェ
けっこうです！

居た！
さてとどうやって……

ウェイトレスさん！
はい？

そのオーダーあそこの壁ぎわの2人の？
え？　ええ……まァ

ちょっとお願いがあるんだけど……

は？

ゴト
お待たせしました

じゃ
ごゆっくり
カッ
どォも
コチッ
待ちな!
ギくっ
な……
何か?
チップだ
――で
ミスター
ビーン

引き受けてくれるな？

報酬の受け渡しは？

今　手付けの5万……
残りの15はこちらにブツが届いた時に……
むこうで荷を積む時の確認はどうするつもりだ？

百万ドル分のヤクと言ってもオレに鑑定する責任も能力もない
運び屋のオレは運ぶだけが仕事だからな
現地でこちらの人間が積載に立ち会うから大丈夫だ

今の封の中に1ドル札の半券が入っている

片割れは現地の立会人に送ってある

OK！あんたを信用するとしよう
取り引き成立だ
断っておくが契約違反はキツイからな
そりゃこっちも同じ事だ

ところでグラス裏口は分かるか？
そこの右奥だがどうした？
どうも尾行されてるらしいんでな……

車は？
様子を見てから動かすよ
じゃあな！
ババッ
あ あんたちょっと……
衣装……
TOILET
ごめんっ!!他は後でっ！
バサッ
HOT LEGS
EXIT

ガッ
ガラン
ザッ
!
くそっ!!
バババッ

ダッ
EXIT
どけよオッサン!!
ピクッ

はなせよォ！ちくしょう!!
誰がおっさんだってェ？
このガキィ!!

おいアンタ！そのドロボーつかまえといてくれ!!
これはオレんだよォ!!
何を持ってる？
関係ねェだろォ!!
……ヤクだな……

おい！
だまっていろよ
おいガキ！
ブツを全部出しな
ひ……
あ！……
ガッ
ビッ
バリッ
帰っていいぞ
え？
ポンッ
てめェ!!
チャカッ
勝手なマネを……
するんじゃねェ!!

わ わっ

ドドッ…

ザザッ…

ガラン

ゴッ
動かないでっ!!

やっぱりな……
ミニでつけてたのは
お前か……ラリー
店内での
話も聞かせて
もらったわよ
あのウェイトレスも
お前かァ!
チップ返せよ
ふり向か
ないでっ!!

ビーン……
あなたがますます
わからなく
なったわ……
下水に
ヤクと売人を
捨てるような
人なのに……
さっきは店内で
ドラッグの輸送
をOKしたのは
なぜっ!?

俺が断ったとこで
他の誰かが運ぶ……
結果が同じなら
それにかかる金は
稼がせてもらう
だけだ
やめて
ちょうだい!!
店の中に戻って
さっきの男に
前金を
返すのよ!!

おどしている
つもりか?
知ってるぜ
銃持って
ねェだろ

!
ずぼっ

CHAPTER35／END

CHAPTER 36
SLEEPER

そんな条件
飲めるわけ
ないでしょ!!
法だ正義だと
言うんなら
警察にまかせて
お前は
出しゃばるな
今のお前は
ライセンス停止中
だってことは
知ってる……
法を無視して
まで 俺を捕まえ
るって言うんなら
サツは無用だろ？
銃を使うなとは
言わん しかし
都合のいい時だけ
法律を持ち出す
ようなマネは
するなよ
シューーッ…
勝負だって
言うんなら
出発日と場所を
教えて!!
それも
勝負のうち
だろォが
ツーッ…

ドゥロロロッ

メイ!!
ジャッキ出して!
タイヤ交換
するわよっ!
今から
追っかける
つもりィ!?

当たり前
でしょっ
早く!!
発信器なら
ビーンの車に
つけたわよ

え?

でも　あいつ
電波チェック
してたみたい
だったけど……
10分間隔の
パルス発信
だもん
10秒や20秒
検知機を
使ったからって
わかるもんじゃ
ないわ

さっすがあ
やるゥ!!
パ——ン
ちょっとォ!!

服 返してよ!!
店のものよ
あ……
似合ってる
じゃない

え?

あたしがラリーと一緒に？
空き巣ねらい？

お願いミスティ！
がしっ
ビーンの居所はつきとめたわ！あとは勝負をかけるだけ
ここはロックスミスのミスティの腕が必要なのよ！

ち ちょっと今 そんなことして大丈夫なの？
ライセンス停止中のはずじゃ……
ミスティは鍵を開けてくれるだけでいいのよ！

あとはあたし達が全部やるから大丈夫！
あたし達って…あたしも？
空き巣のまねをするのもドラッグ密輸を阻止するため仕方ないの！協力して!!

勝負をかけるって……決闘でもするの!?
そのビーンて人銃が効かないバケモノって話の人じゃやないの？

ゴリラが防弾ジャケット着てるような感じの人よ
首から上をいきなり撃たないとまず倒せないわ

免停中に仕事でもないのに殺すなんて……
空き巣って言ったじゃない！決闘なんかするつもりはないわ!!

今回の彼の言うところの勝負っていうのは輸送を成功させるか否かってことよ
ゴタゴタを起こさずに勝つには空き巣をするしかないのよ

……？一体 何を盗むつもりなの？

ビーンが
現物を受け取る
ための……
1ドル札の
半券よ

——でも
それで
勝負に勝った
からと言って
本当にビーンは
約束を守る
かしら？
その時は
ここのアジトを
警察に知らせる
だけよ
でも多分
約束は
守る男だと
思うわ
なんか敵対してる
わりには 変に
信用してるような
口ぶりね
運び屋としては
一流よ……
ただドラッグを
運ぶのだけは
許せないわ
絶対にね！
カチッ
わかるわァ
……実感ね
キィ…

ちっ!!
ほこりが積もった上に 1フィート強のでっかい足跡ばかりついてるわ……
この建物 その人しか住んでないんじゃないの?
下は駐車場みたいだし上へたどれればあいつの部屋ってわけね
待ってラリー
!
シューッ
やっぱり……
そこの割れ目に赤外線センサーがあるわ……
うまくよけてね

!

あの部屋ね
……

あのドア近くにマイク仕掛けてしばらく様子を見て不在を確かめるのが正攻法だけど……
OK！急ぐわよ

ザッ
ラリー大変！発信機の電波が切れたわっ!!

ビーンに気づかれたのかも……
だとしたら駐車場にいるはずよ 上がってくるかも……

……

ミスティ今すぐドア開けて
!!
は はい!!

ギッ

チッ
カッ
カッ
カッ
カッ
ギリッ
カキッ
カシッ
ぱっ!!
ガバ
ふーっ!
ギャッ
ギャッ
カシャッ
ギギッ
カシャッ
カキ
カキ

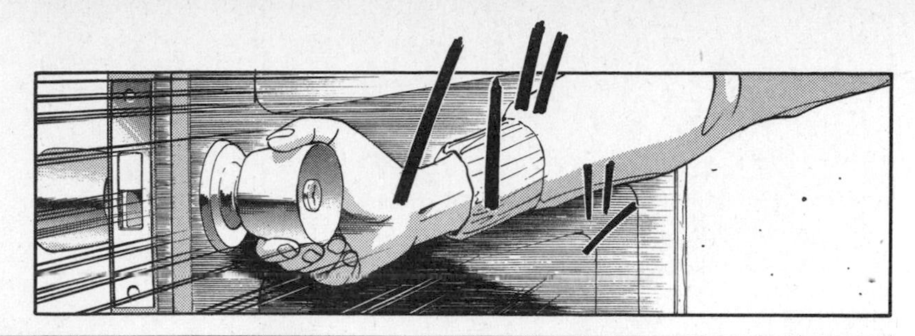
バッ

ふう……
ガチャッ
ガチャチャッ
ジーーッ

ばっ
バサッ

ガチャッ
オートロックで助かったア
宝巣がバレるトコだった…
シャワーみたいね……
今のうちにひと探しするわよ
目的は1ドル札の半券だけよ
退路をスムーズに確保するために気どられないように荒らさずに探して！
5万ドルの札束の封と一緒に渡されたはずよ
ガラッ
チーカッ
昨夜のことだからまだそのままの状態で保管されてるかも
ザッ
そのとき着てたジャケットのポケットの中じゃないの？
カルイチャッ
確か昨夜着てたのは……
このジャケット……

ガチャッ
……ない!?
Bud

バターン

なんて早いシャワーなのォ!? 10分くらいしか……

プルルルルッ♪

プルルルルッ

ぱっ!!

プルッ
ピ!

グラスか?
──ああ
今のところ
変更なしだな
?
ああ? ああ!
まだ出発してねェ
よ　ここは自宅だ

遅い?
大丈夫!
予定通りに
着くから
安心してろ
きゃー──っ
きゃー──っ
きゃー───っっ!!

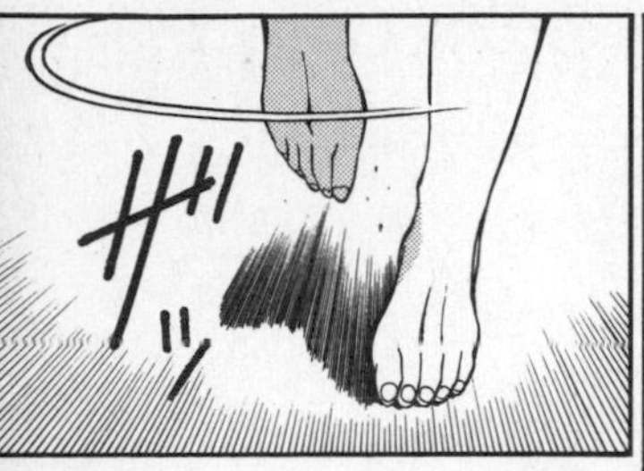

※フォード・ボス302マスタング（70年頃の物で、302キュービック・インチのエンジンを持つ。）

ひくっ
プルルルルッ
ん……

ピッ
ハロー

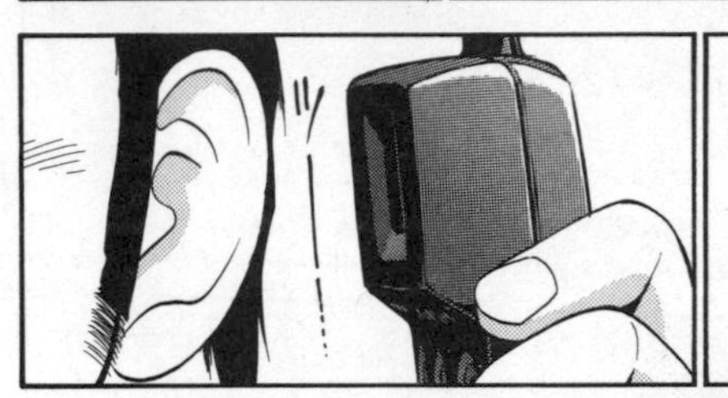

ふう……

コール音でドアの音をごまかせたとは思うけど……

ごめん！ミスティ
ビーンが部屋を出るまでなんとかしのいで!!
ダダダッ
ガチャ
あ……

USS ENT

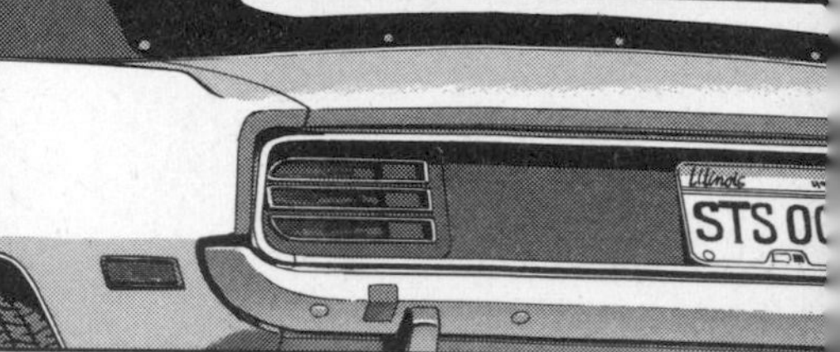

いつものコーベットにマスタングⅡ……
あっらー70年型の車もずらっと……

なんて見とれてる場合じゃ
302 302っ!!

ビンゴオ!!

キャ
ガタッ
やっぱり開いてる!!
……
ない……
がばっ
ないわ!!
!!
カッ
カッカッ
バン

チャッ
キュッ
ガムッ
グオンッ

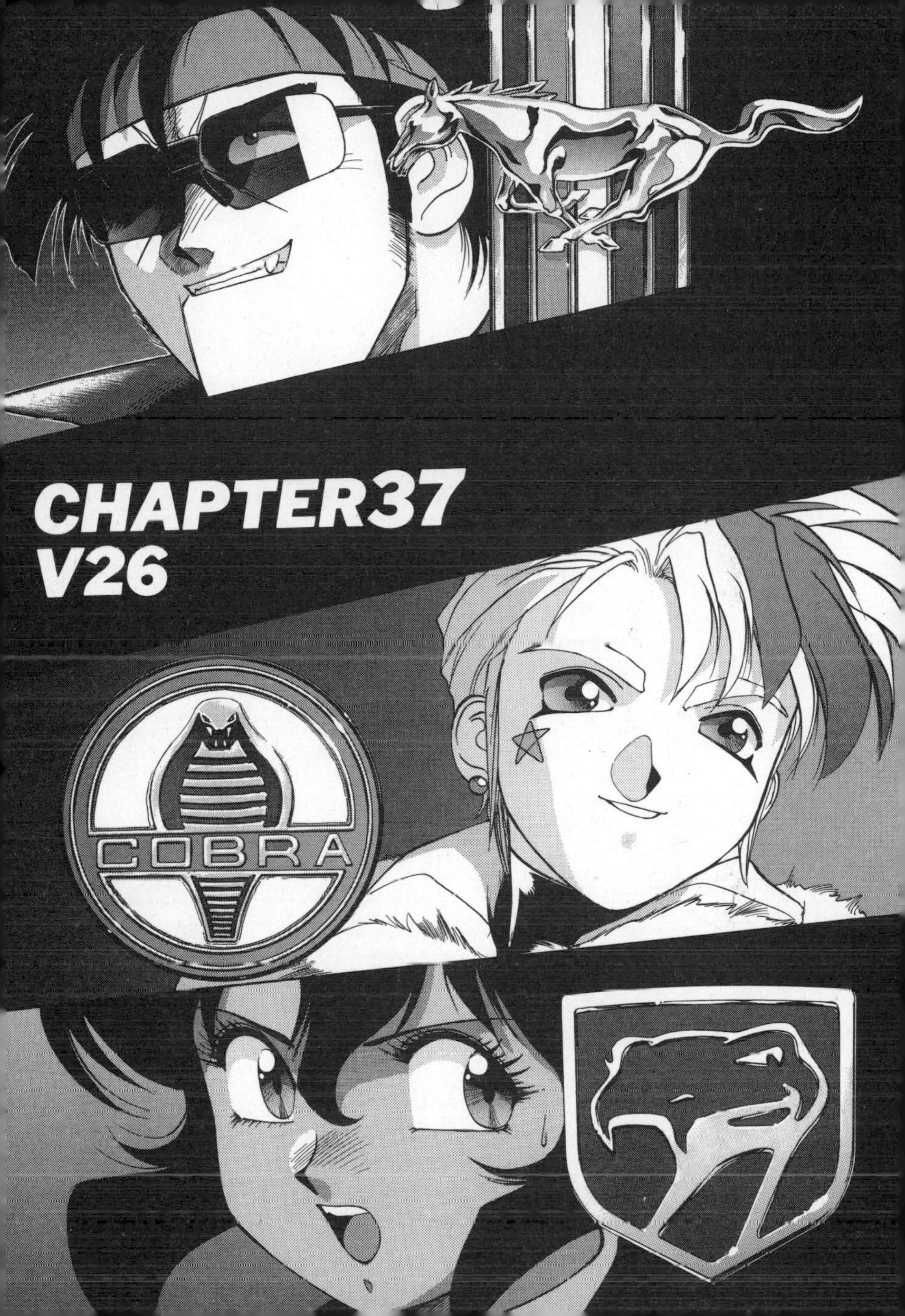
CHAPTER37
V26
COBRA

ズフォォ

ピッ
ガラララ…
ゴロ
ザッ

ガロロロロロロロ
MUSTANG
486 DX2
ザ

ガゴン
ガラガラ
ドロロロロロロロロッ
ズオオンッ

ガロンッ

あのビルの下から……
!?

ルルルルッ

ハロー?

メイ!? あたし! 今ビーンの部屋からかけてるの
ついさっきビーンが出てったわ!! ラリーにすぐ出発するように言って!! おっかけた方が

ちょっとラリーはまだ戻ってないわよ!

ビーンより数分早くこの部屋を出たはずよ!
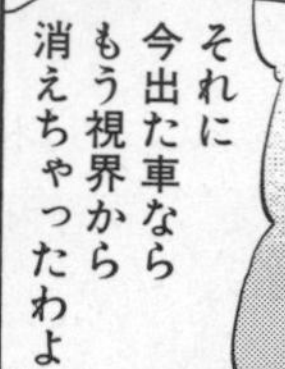
それに今出た車ならもう視界から消えちゃったわよ

あたしが見る限りそこから出たのは1台の車だけよ!
それがビーンよ!!

あ!……
まさか……

ラリー!?

今どこ? 返事して!!
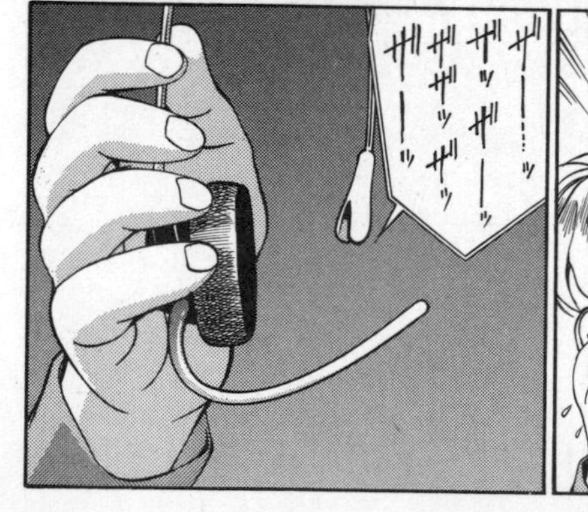
ザー…ッ
ザッザーッ
ザザッザッ
ザーーッ

?……
モールス!?
ギュッギュッ
ザザザーッ
ザーッザッ・ザッ
ザーッザザッ
ザパーッザッ
ザザッペー
キュキュッ
キュッ

ビーンの車!?
うそォ!
ほんと!
彼の真後ろにいるから
しゃべれないらしくて
モールスで知らせてきたの
マスタングのBOSSに乗ってるって
行き先は?
ラリーもそれを知りたがってる!
急いでっ!!
じきに電波がとどかなくなるわ

急いでって何を……
ビーンはそこで今回の仕事の準備をしたはずよ何か見つけて!!
わ わかったわなんとか……
……て言ったたって……
チャッ

ここって3部屋ぶち抜きで……
うち一部屋こーなにロッカーがあるのよォ
Crown.
Crown.

ガラッ
ガシャ
Land of Lincoln
あらァ ナンバープレート ばっかり
ガラッ
他州のもこんなに……
Illinois
大型にパトカー……

ガラッ
ガラッ
まァ……
シースナイフだけかと思ったら
……
フォールディングナイフに
……
おまけにサムライサーベルまで
……

バッ
地図……

バゴンッ!!
ズン…

……
……

プルルルチャッ
遅ーいっ！
もう電波とどいてないわよ！
ニューヨーク!!
き
きのう……の新聞の上に……ジャケッ……トにはさまれて……ニューヨークのマップが……
たぶん間違いないわ
New York
マーキン……グもあったんだけど……でも……けっこう……古いヤツで
ミスティ？
新旧の……マー…クが多すぎて……
どこかは……わからないの
ミスティ！どうかしたの？

ちょっち……足やられちゃって……
えーーっ!!ビーンは出かけたんじゃ……
メイより重いビーンのジャケット足の上に落としちゃったのよ
歩けないわよっ!!
馬革のジャケットはケブラーを何十枚とたばねた裏地にチェーンメイルをはさみ込み……銃じゃ倒せないってのがよくわかったわ！

あんなのを
普段着にしてる
人間と2人っきりで
ラリーは大丈夫!?
やっぱり警察に
すぐ電話を……
ダメよ……
ラリーは
今回ばかりは
絶対にビーンと
決着つけるって
決めてるのよ
それに……
ラリーは今
免停中なのに
銃を下げてるわ
ラリーのためにも
警察を介入させる
わけにはいかないわ
それじゃ本当に
一対一の対決
じゃない!!
そういう結果を
予想しなかった
わけじゃないわ
ゴゴ

や
やばい……
このまま
じゃ……

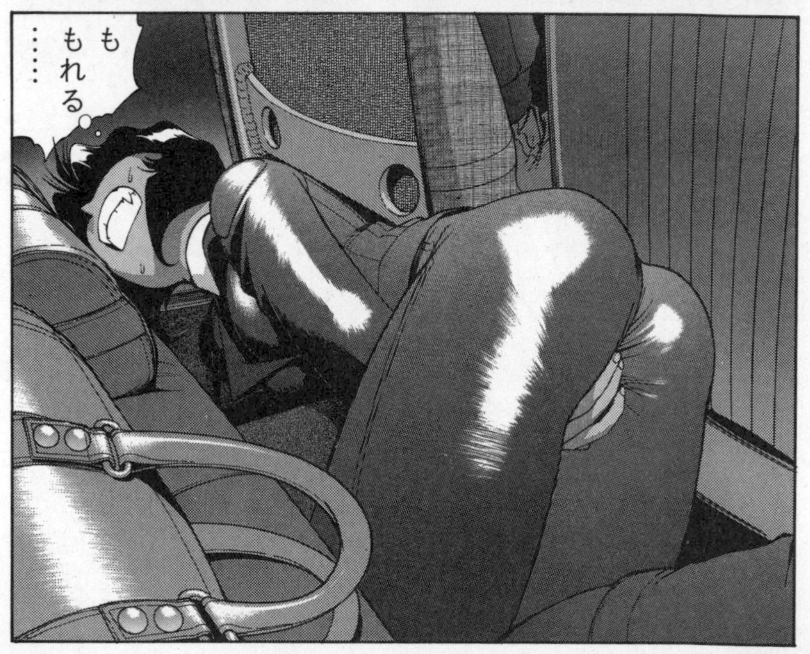
も
もれる
……

シカゴを出て
4時間は
たつのに
……
もしこのまま
ほんとに
もらしたら……
じょ
冗談じゃ
ないわ!!
おしっこの匂いで
見つかりでもしたら
サシの勝負どころ
じゃなくなるわ!!

ど　どうせ
見つかるん
だったら……
もれる前に
堂々と……
ぐおっ
ギュッ
ザザァッ

ザ

サービスステーション!?
ラッキー!!

The Vagabond Inn
76 Gasoline
Self Serve
24 hour
always open

キッ

ガムッ

Vaga
Inn

ダッ

部屋がない？

ええ……すんませんがいっぱいでねェ
この時間にか？
ついさっき飛び込みが少々入ったんでね
なあに間もなく朝だからトラック野郎どもの部屋があくよ

——ところであんたビーンさんかい？
あ？
先に着いたお連れさんから伝言だ
そこのレストランで待ってるってね
そこか

Twins Gyros
LADIES
ほーーーっ…

さて……と
モーテルのビーンの部屋をつきとめないとね……
さてどうする？半券はたぶん今 着てる上着にあるはず……
そうだわ！BOSSに火をつけて気付かせれば上着を着る間もなく飛び出てくるはずよ

革ジャンを
盗み出して
しまえば……

BOSSに
火をつける
のは心苦しい
けど
コブラや
コーベットと違って
FRPじゃないから
大丈夫か……
LAVATORY
CIGARETTES
TRASH

おい
バンデットが
来たぞ
おう!
!

お前が「オレの連れ」か？
はじめまして……ミスターバンデット

どうです？ビールでも……
ここのソーセージはいけますよ

ドムッ
オレァここではスペアリブと決めてるんだ

いいですねェ私もそれいただきましょう
取り引きの話は食べながらということで……

ほお……取り引きねェ……

カラン…
う〜〜っ
さぶっ……

ヒュー
♪

今晩は……お嬢さんお一人で？

ナンパするつもりならやめて下さらない？
女性が1人だと食事でも危ないですよ

ここから
2時間ほどの所に
安全で上品な
レストランが
あるんですよ
チャラッ
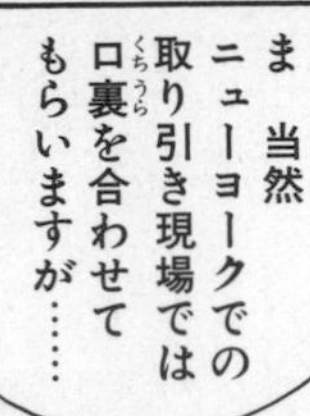
どうです？
ぼくのバイパーで
行きませんか？

……
バイパー？
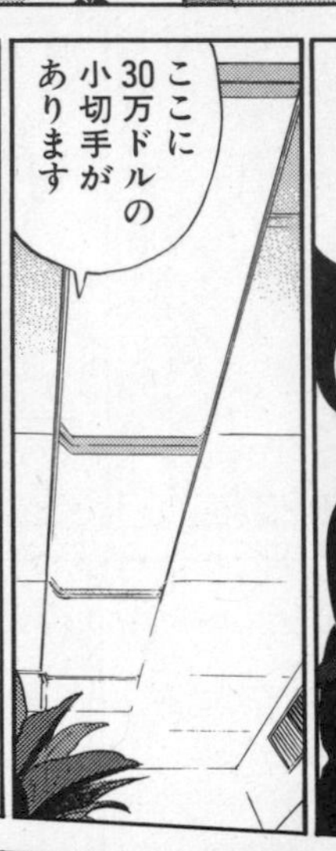
ここに
30万ドルの
小切手が
あります

これであなたの
札の50セントを
買い取りたい……
おまけに
ここのモーテルの
キーも付けましょう

ま 当然
ニューヨークでの
取り引き現場では
口裏を合わせて
もらいますが……

うちでは
今回のこの件に
関しての情報は
すべて入手
してます
バリッ
あなたは
グラスからの仕事を
20万で受けた
そうですね……

彼は100万ドルの
ブツだと言った
らしいが
実際の末端価格は
約1千万ドル……
バンデットさん
あなたは
買い叩かれたん
ですよ

金とキー持って
とっとと
失せな!!
残念です
……
!!

ドッ

ミシッ・・・

ばかな!!

おいっ!!
ポリスを
呼べっ
はっ
はいっ!!

取り引きできなきゃスタンガンで追いはぎか？
どしっ
そ　そんなヤツは知らない！
敵の多いあんたにはよくあることじゃないんですか？
じゃ　話は終わりだな
しかし！
気に入らないのならそちらの趣味に合わせましょう!!
札を賭けてレースはどうです？
ACコブラの427が相手になりますよ

427……
お前がか
？
いえ　ドライバーはそちらに……
お……

"コブラ使い"のリフ・ラフだ
女かよ……
パワステ付きのコブラじゃねェだろォな
バキッ
ナンパしたクセに逃げるの?
ひーっ
だァれが……
パワステ付きのコブラ使いだってェ?
……OK!納得したぜ"コブラ使い"
さっきのスタンガンよりよく効く
決まりだな!
さァ!警察がこないうちに……

あたしもまぜて
もらうわよ!!
ちょっ……
……
ラリー……
お前がなんで
ここに
いるんだ?
「オレの仕事を
妨害してみな」って
言ったでしょ?
ダッチ・バイパーで
1ドル半券を
いただくことにするわ
そ それ
オレの……!
部外者が
出しゃばるんじゃ
ねェよ!!
……
……
バイパーに
ACコブラか……
面白そうじゃねェか

CHAPTER37／END

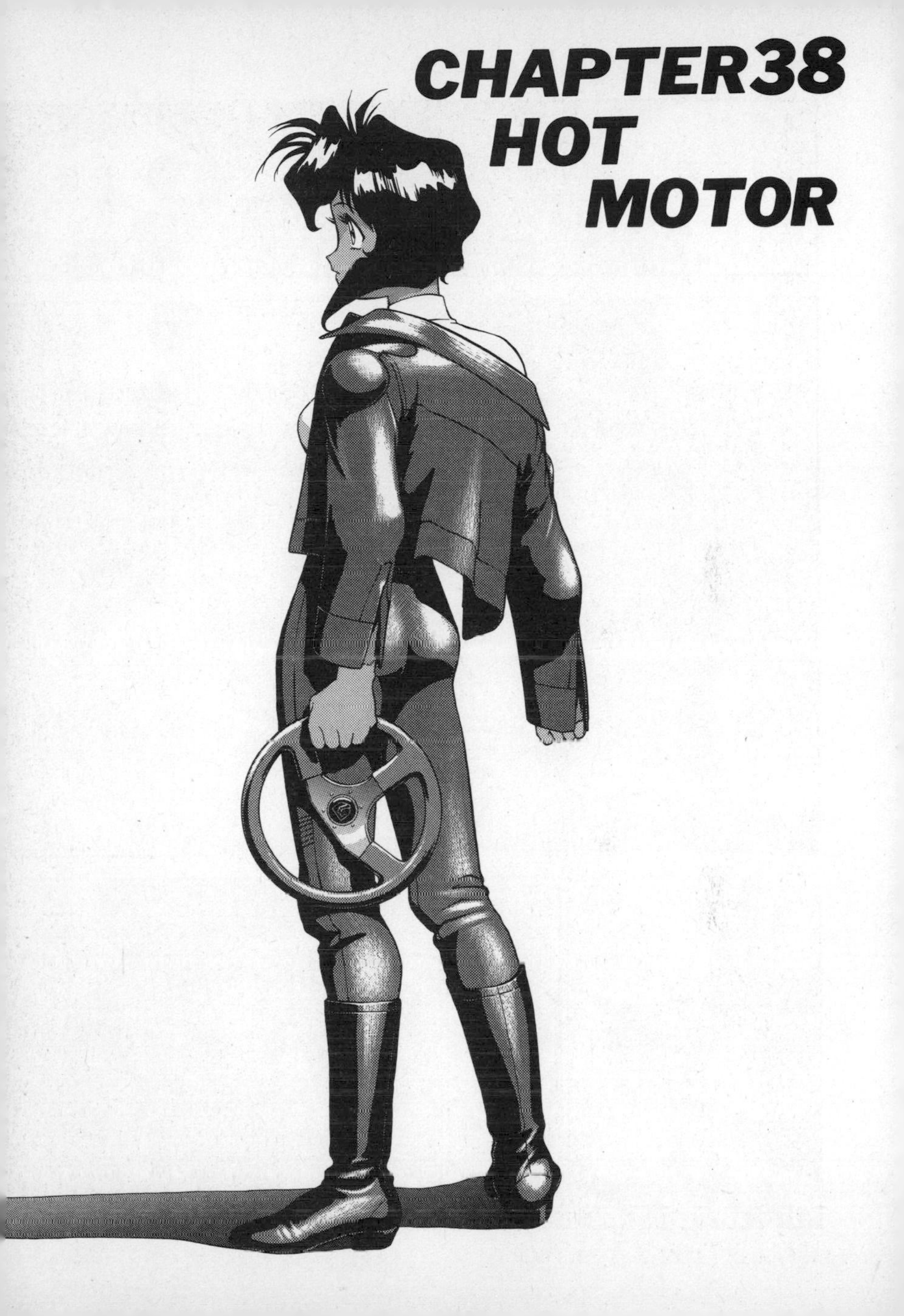
CHAPTER 38
HOT
MOTOR

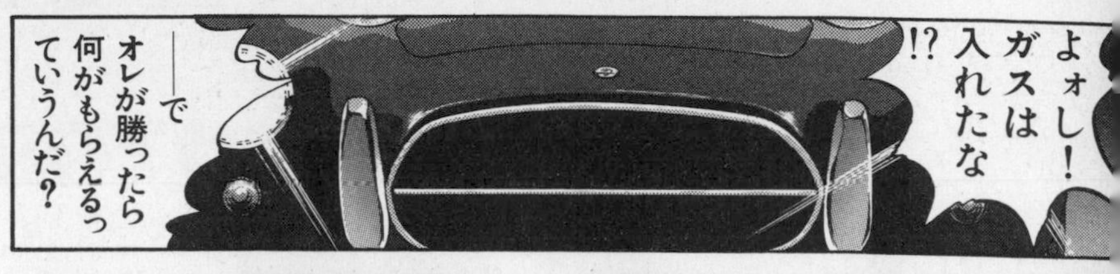
よォし！ガスは入れたな!?
――でオレが勝ったら何がもらえるっていうんだ？

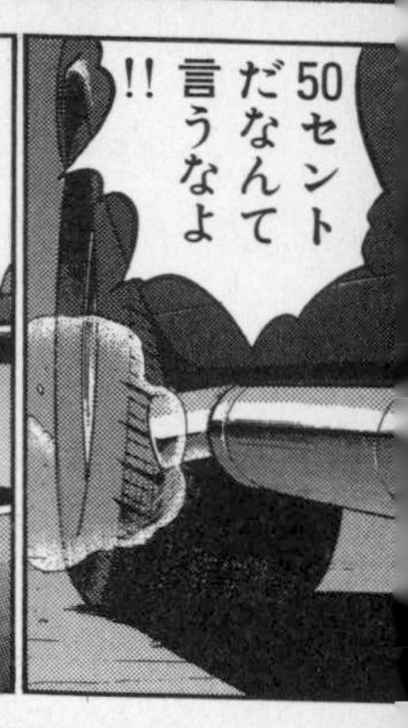
50セントだなんて言うなよ!!

さきほどの30万ドルをそのまま出そう！

冗談こくなよ!!
この半券にはオレの信用と1千万ドルのヤクがかかってんだぜ!!

ならこのアタイのコブラをプラスするっていうのはどう!?
ミスター・ビーン!!

上等だ!!
パキッ

えらく太っ腹だなリフ・ラフ

なあに走り賃を3倍にしてもらうだけさ
……なるほど

お前は何を賭けるんだラリー!?

そのバイパーでも賭けるか!?

じょ冗談じゃないっ!! 人の車を勝手に……
あたしのGT500を賭けるわ!!
よォし!!

これでいいでしょ?
あ ああ……
しかし本気でこんな連中とレースを?

ゲームよゲーム……
それにこのバイパーもただで借りるってわけじゃないわ お金は……

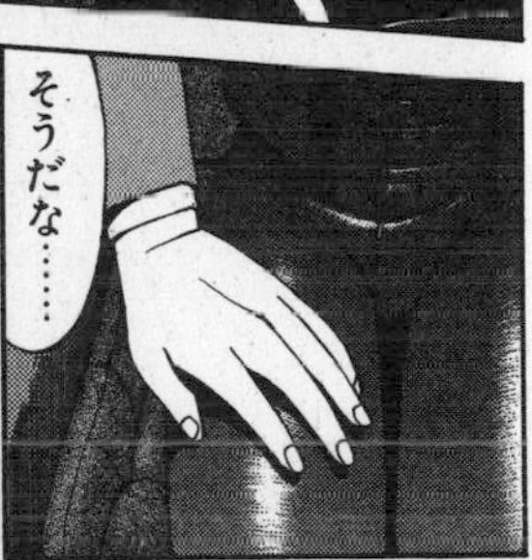
そうだな……

メルセデスより高いバイパーを貸すんだ…… 当然ただじゃないよねェ

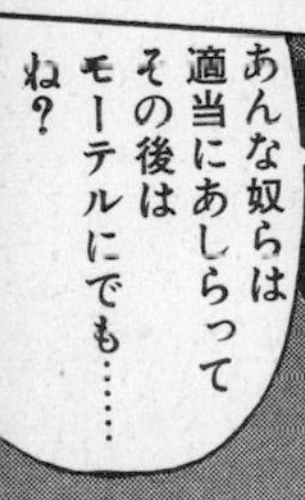
あんな奴らは適当にあしらってその後はモーテルにでも……ね?

はは……

あんたはそのムスタングを賭けないの!? ビーン

こっちは信用とドラッグを賭けてるだろォが!!

あーらァ ビーンともあろうお方が負けた時の事を考えてんのかい？

……
のせるのがうまいな

よォし!! 賞品はそろった! レイズはここまでだ
3台並ばせろ!!

あんた!! ラリーとか言ったな
バウンティ・ハンターをやってるってェ!?

しかし
走り屋業界じゃ
素人同然！
今のうちに
おりた方が
いいよ！
じゃまに
なる
だけだしね!!

なめて
もらっちゃ
困るわ!!
こっちだって
だてにGT500を
ふだんの足に
してるわけじゃ
ないのよ！

スピード・
エンジェルと
呼ばれてる
このアタイと
ロードバスターの
ビーンの勝負には
あんたはじゃま
なんだよっ!!

ハンターなんぞに
勝っても
なんの名誉にも
ならんしな！
バイパー相手
じゃ 怖いんじゃ
ないの!?

なんだとォ!?

いくぜェ!!
準備は
いいな!?

空に投げた
この缶が落ちたら
スタートだ!!
いいな!?

リフ・ラフ!
そいつをなめねェ方がいいぜ
そいつはけっこうイイ線いってるからな
2人してオレのアドレナリン分泌に協力してくれる事を期待するぜ
ずいぶんと買ってもらってるのね……
冷や汗を分泌してもらいましょうか……
ヒュ
コ
オ
ン
ッ
Budweiser

バッ……
クンッ
グンッ
クンッ
クパッ
RPM×100
WATER
OIL
くんっ
VIPER
ギュバッ
ヒュゴッ
ギュッ
↑車輌の急加速による反力でヘッド上にのせたインテークがふられる
ゴッ
MUSTANG
486 DX2

バ バイパーのボンネットにキズが〜〜っ!!
舌かむわよっ!!
ギュッぐさっ☆
あ ああっ!!
あ・あんまりふかさないで…エンジン傷む

ゴオッ

なァるほど!!
さすが最新車
素人が踏んでも
しっかり加速
しやがる!!

場所って……
ホントにわかったのベッキー!?
――と言うより……
インクの乾燥度と重なり具合を調べてみたのよ
この地図についてたマーキングのうち新しい物がいくつかわかったってだけなんだけど……
このうちの2～3ヵ所がヤクの取り引き場所として怪しいんだけど……
それ以上は現地に行ってみない事にはわからないわ……
行くしかないな……メイ?
当然よ!!
すぐ空港に行くのよ!!運がよければ第1便に乗れるはずだわ!!

※アメリカの長距離鉄道アムトラックの、シカゴ↔ニューヨーク間の特急列車。

ちょちょっと……ケンは昔の自分を消したんじゃなかったの？

今のオレの身分の書類を作ってくれたヤツがニューヨークにいるんだ……

そいつは武器もあつかっている
それよりベッキーには調査しておいて欲しい事があるんだ

今回の このヤク取り引きの内情を できるだけくわしく調べてくれ
え……？

ブツの運び屋をわざわざ往復させる意図が知りたいんだ
カチャッ

ニューヨークで取り引きする事……ビーンを使う事に意味があるのか？

それがわかれば取り引き場所を知る手がかりにもなるしな
……わかったわ

――でもホントに情報屋なしで大丈夫？

素直じゃないな
ラリーが心配だから連れてってくれと言えないのか？
ベッキー
じゃあ行ってくるわね
そんな事言わせてタダで仕事させる気？
プロはお金取るからいい仕事ができるのよ
じゃあちゃんと払うから……
そっちの調査を頼むぜ
留守の間のミスティのめんどうと警察の対応を頼むわね
特にロイにNY（ニューヨーク）行きを知られるとヤバイもんね

ゴ───ッ

ん……？
うわっ
ホゴッ

※正式名称はDODGE VIPER RT/10です（8リッターV10 400馬力 トルク62・1kg 近々クーペバージョンのGTSが量産されるらしい）

↓コブラはフツーダッシュ上にミラーがありますが このコブラはハードトップに改造したため 上づけにしました。

しかアし!!
ここから先は
しばらく直線!!
ゴクッ
パキッ
今のうちに
稼がせて
もらうよ!
おっ……
ぐぎっ
ジャッ
ゴオッ
ニトロか
……
なかなか
熱いぜ
お嬢ちゃん!
!

ゴオッ
ヒュゴッ

ず
ずるいっ!!
ニトロなんて反則よ！エンジン傷むのにィ

ゴッ
ホォオオオオオーーン

カランッ
カンカン
キイッ
ストーップストップ!!
ホイールキャップが外れたぞ!!
ザッ
すぐ取ってくる
ガチャッ
おい！気をつけろよ

タッ・・・
コォオオオオォー・・・ン
ちっ
うわっ!!
WA2000

とっ……
うわっ
キョワワッ
どさっ
!!
ドアに人間!?
両サイドとも狭(せま)す……
ぎ……
る

ドキュッ

ドドンッ
486 DX2
SUPER9

きゃっ

しまっ……

高速での片輪（かたりん）は……
降ろす方が難しいんだよな

てめェら女だからっていつまでもケツ振ってるとおいてくぞ!!

ピタッ
くそっ

グオッ
ジャッ
せっかくニトロで稼いだ貯金がパーだ

!

タパパッ
素人のくせにしぶとい……

雪!?

雨なら
ドリフト大会で
楽しいんだけど
ね……
リフ!!
大丈夫
なんだ
ろうな!
11月に入った
ばかりで
積もるとは
ちょっと……

こんな古くて
トルクの太い
車が
一番
スピンしやすい
んじゃ
ないのか
アタイの
腕を
信じなよ
!!
……ヤツの
左側に
つけろ
バカ
言うな!!
じきに
左コーナーだ
インベタじゃ
抜けん!

いいから
行けっ!!
クライアント
は俺だぞ!!
チッ!

ザザッ

CHAPTER38/END

CHAPTER39
WHITE OUT

このっ……
大バカヤロウッ!!
キュバッ
!!
!!

ギュッ
うおっ!!
ザカアッ

ブ
ゴ

あの男
AR—15を
!?

リフ！
じゃまを
する気か!?

インベタの
ラインなんか
指示するから
こんな走りに
なるんだよ！
勝って欲しきゃ
そんなもん捨てて
黙ってな!!

それとも
契約破棄して
車を止める
かい？
キュッ

ちっ!!

チコッ
シャカッ
ジャキッ

!!

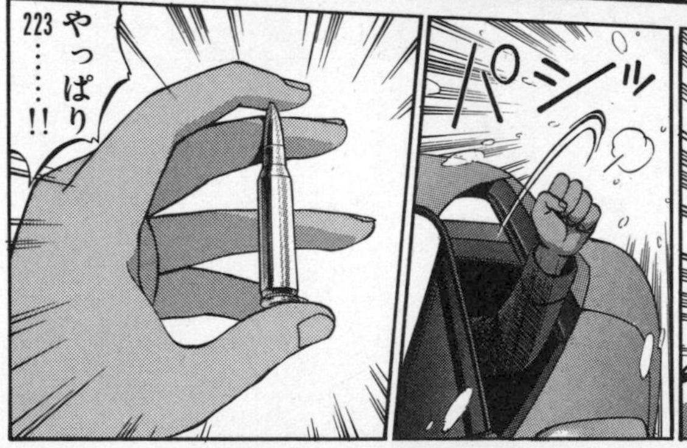
パシッ
やっぱり
223……!!

弾は全部
捨てた！
ＯＫか!?
よォし!!
説得も
スタンガンも
失敗したら
殺して半券を
奪うってわけ!?
やばい！
いくらビーンの
ジャケットでも
ライフル弾は
……
もう
いーかげんに
やめて
くれェっ!!
キズの修理代も
何も払わなくて
いいから
はやくとめて
くれ!!
お金は
後で必ず
払うわっ!!
ゴクッ
こっちが払うから
とめてくれ！
千ドル
払うっ!!
お金の
問題じゃ
ないわ
この走りには
ドラッグが
かかってるのよ
!!

な　なんだ
早くそう言って
くれれば……
僕は大学で
コークの売人を
やっているから
分けてあげるよ

あ……
あなたみたいな
人がいるから
……
コークの
被害者が
いつまで
たっても
……
グオッ
いつまで
たっても
なくなら
ないのよ!!
ギュッ
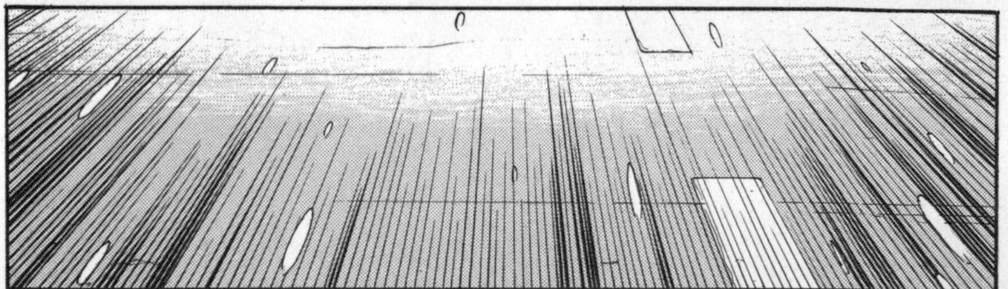

WA 2000
EGA 569
ぎゅっ
うわっ!!
どっ

さすがビーン・バンデッドの車ね！

429ユニットかとも思ったけど……
回転が高いところを見ると302ユニット……

302でここまでパワーを引き出すとは……
ホゴッ
過給器音が聞こえるとはいえすさまじいチューンね！

それにここまであっさりと高速に引っぱれるって事は……
クラッチもミッションもレース車並みなんだわ！

どうした!!銃は必要じゃないって言っただろォが!!
あせるんじゃないよ
こいつは並のコブラとはレベルが違うんだからな

じゃあなんで素人を引き離せないんだ!!
ピッタリ張りつかれているぞ!!

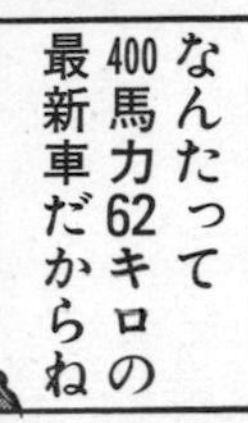
なんたって400馬力62キロの最新車だからね

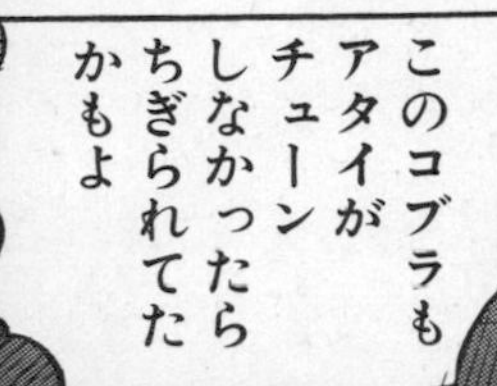
このコブラもアタイがチューンしなかったらちぎられてたかもよ

安心しな!!最後に勝つのはアタイだよ!!

もっとあとで勝負をかけさせてもらうつもりだったけど……
うっ…
これ以上先は雪が積もって危険だわ
今のうちに……
このバイパーの力で差をつけさせてもらうわよ!!

んっ……
びゅびゅっ
チコッ
ああっ
シュカッシュカッ
パッ
ぶわっ
うっぷ!?

WA2000

ガン
ガン
ガン
ばっ!
ガン
ガン

ガンガンガン
ガンガン
タタン
やつも防弾!?……
うわっ

カミッ
もう……
グッ
やめてくれっ!!
ギュッ
きゃっ!!

ギュワッ
ガガッ
ビーン!?
ガリガリッ
くっ!
ザザザザザザザザ
グワワワ

P M C
9MM LUGER.

コォォーー……ン

ブオフオッ

スティーブのバカが!!このフルチューンコーベットに勝てると思ってやがる
すごォい!20年以上昔の車なのに130マイルも出てるゥ

こっちはまだ余裕だぜ!賭け金はいただきだな
ちょっとォ!雪が降ってるのにこんなスピードで

こんなスピードでホントに大丈夫なの？
追突するほどヘボじゃねェよ!!

あら？

後ろから何かすごい速さで迫ってくるわよ
バカ言えパトカーだって……

ユサッ

うわっ!!
ドギュッ

ザザ
ザザッ
ジョーンズ……
貴様ァ なんて 事を……
あっ……
キーを……おいっ!!
チャッ
……
ドロ ドロ ドロ ドロ ドロ ドロ ドロ ドロ ドロ

ドッ
ザザ

ジャッ
ジョーンズ!!
キーを返しなよ!!

勝てる勝負を
だいなしに
しやがって
違約金をもらって
帰らせてもらうよ!!

聞いてんのかい
ジョーンズ!!
これだ……
FEDERAL RESERVE
THE UNITED STATES
C 79589535 A
ONE

ニューヨークの
卸し屋　ワイルダーの
サイン入り……
間違い
ねェ!

くそっ!!

"ロードバスター"
バンデットとの
走りの勝負……
名を一気に
あげるチャンス
だったってのに……

殺しち
まいやがって……

!

あ……

ザッ！
ぶーっっ…

ビ……
ビーン
シュッ
ジャラッ
キンッ！
チャラッ…

CHAPTER39／END

CHAPTER40
MISSING WASHINGTON

とっ！
……
パミッ
ビンセン……
ガキュッ
ビーン
……

ちっ！
ダ
ラリーッ
撃つんじゃねェぞ!!
ビクッ
！
銃よ!!
離れるぞ
ひっこめ!!
ギュッ
あ
リフ！
すぐ出せ
何を
いまさら
……
キャーッ
ムネが
つっかえて
……
グォンッ
何やってる

走り賃は
5倍だよ
ズオンッ
タタッ
フラ…

ガロロロロロッ
ザッ

ビーン!!
逃がすつもりなの!?
ほっとけ!
お前の目的はオレの仕事の妨害だろォが!!
撃つんならオレに撃ちな!!
ッ
シュ

速攻で逃げるよ
ヒュッ
ベルトしめてな!!

ギュッ
ギャイッ
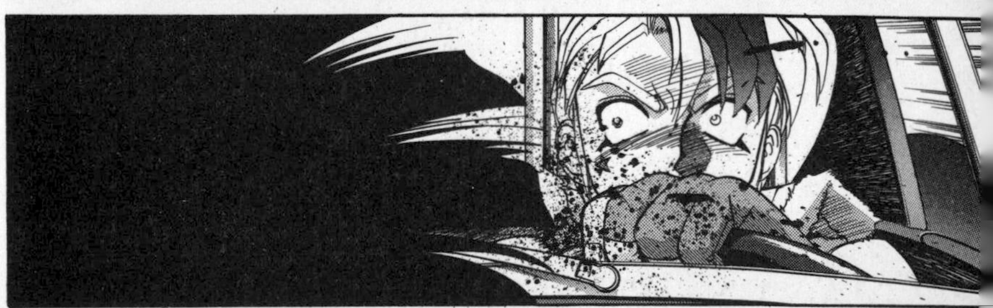

!!
ビーン!!
ジョーンズ
てめェ!!

こりゃ修理費は1万ドルは切らんな!!

このまま契約通りにこっちの指示に従って走れば10倍のギャラを払ってやる

ここでオレを降ろしたら手付けの5千しか残らんぞ!!

フォオオ
ン
ビーン……

ハアッ
良かったな……
あとはオレの車を潰しゃあお前の勝ちはほぼ確実だ

ほぼって……
ビーン！
あなた
まさか……
まだやる
つもりなの!?

このオレが
仕事を途中で
投げ出すと
思ってんのか
……
ザッ

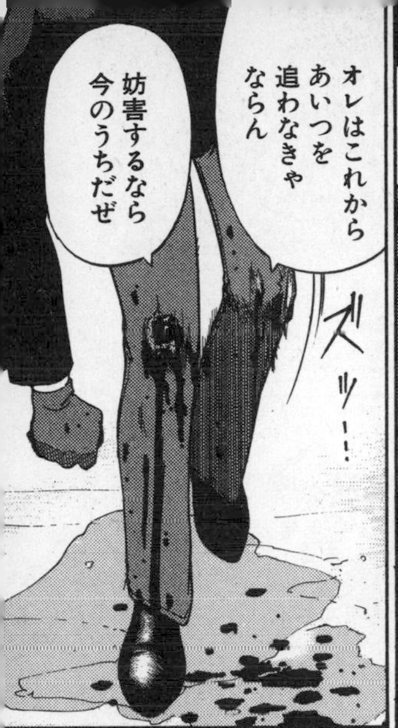
オレはこれから
あいつを
追わなきゃ
ならん
妨害するなら
今のうちだぜ
ズッ

そんな
体で……

ザロロロロ

ガガ
ザザッ
ッラララ

ズゴ゛ フ オ
ちくしょォ!!
このスベタっ!!
ガリガリガリガリ

ヅフォオォー!!ン
カラカラカラカラ
ビーン……
ドッ

取り引き場所と相手を教えて
ヤツからブツを奪い返してみせるわ!!
今オレを止めないと……
お前は負けるぜ
チャリ

まだやるつもりなの!?
そんな体で!?
クラッチもふめないわ!!
ドッ

そういう
お前に
何ができる
!?
銃を撃つのを
怖がっている
お前に
何ができる!?
本気で
あの男を
止める
つもりなら
顔を撃つとか
色々あった
はずだ!!
お前の腕なら
殺さずに
倒すことも
可能なはずだしな
しかし
ライセンス
停止中のお前は
自分の撃った
人間が　警察に
確保されることを
恐れている!!

いつもと違う
そんな安銃を
持っているのも
いざとなったら
捨てられるように
じゃねェのか!?
そんなハンパな
ヤツは　いても
邪魔なだけだ!!

どけ!!
ザク…
ズオロロロロ……
じゃあ
あたしは
この銃を捨てて
警察に
タレ込むわよ
この勝負
降りるんだな?

……
分かったわ
決着を
つけるまで
せいぜい
あなたの
妨害をさせて
もらうわよ!!

そんな体で
意地はって
運転中に死ねば
満足でしょうね!!
運び屋の死に方
としては御立派(ごりっぱ)
すぎて……

プルルルル
チャッ
はい
ビンセント……
あら!?
ミニー・
メイ
飛行機にしちゃ
遅かったわね
直にホテルに
来ちゃったのよ
チェックインも
済ませたとこよ
ケンは
レンタカーを
借りに
行ったわ
その足で
情報パイプを
当たりに
行くって
パイプって
……?

ケンって
シカゴに戻る前は
こっちで仕事
してたのよ
そのときの
情報屋を
使うって
ちょっとォ！
一度手を切った
情報屋に
再び信用して
もらうのって
難しいのよ
有能な人なら
なおさらだわ
大丈夫よ
武器なら
持ってったから
例の偽造屋さんには
もう会えたって
わけね……
それに
あたしのいた
紫猫館(しびょうかん)の本店
NY(こっち)にあるのよ
技術指導で
来た事あるから
チャイナ
タウンに行けば
あたしの名前で
なんでも
そろうのよ
技術指導
って……
メイが？
教え子は
みーんな年上
だったけどね
なによ
あたしの出番は
もともと
なかったって
わけェ？
ベッキーには
ビーンが使われた
理由を調べる
仕事がある
じゃない!?
頼むわよ
はいはい

NO
STANDING
FIRE
ZONE
NO
PARKING
ANYTIME

あんたァ
"電気屋の
ヌードルス"
ってェのが
来たよ
おお
通してくれ
こんな
真昼間から
来るたァ
めずらしい
なァ
ガチャッ
よォ
ヌード……

まァだ
あんなハッカーと
つきあってるって
事は　今でも
お前の情報網は
生きてるって事だな
……
誰だ？
お前……
シカゴのグラスが
買い付けた
ヤクの受け渡しの
ネタが欲しいんだ
こういう
ネタに関しちゃ
お前の専門分野
だろ？
〝ヤクの相場師
ガスマン〟

お　お前
まさか……
ケン・
タキザワ
!!

逃げるなよ
一回転
させるぞ
バンッ
カキッ
カシッ
ボボッ
ボボンッ

ばっ
なななによ
アンタ
人んちのドア
勝手に……
失礼!!
カッ
ガムッ
バッ
ズルォンッ
キュルルッ
バババン
うわっ
ガリッ
やっぱり
あの車か
ガチッ

パチッ
ボッ
ゴシッ
ガコーン
あんたァ
なんだ!?
!
……
……

コッ
チュッ
キュル
ボッ
シ
うわっ!!

よォ
見事な一回転だろ?
さ 教えてもらおうか

お オレからの情報だって事は……
わかってる……安心しろ

まずは卸し元の所在から……
痛っ!!
気がついたか?
カランッ
……
局所麻酔を打っておいたんだが切れたらしいな
もう1本打っとくか……
まだ2~3ヵ所弾が残っているからな
そのクソ重たいジャケットを脱いでくれるか?

その娘さんには感謝しろよ
普段は往診などしない この私を一所懸命説得してここまで引っ張ってきたんだからな
!?
ここは……
あれから何時間たった!?

ここは
レイクウッドよ
あれから
4時間は
たってるわ
ここまで
どうやって
来た?
お前に
オレの重量を
シートから
動かせるとは
思えんが……
ええ　だから
あなたの足の上に
座って運転させて
いただいたわ
座り心地は
最悪だった
けどね

ドクター
麻酔はかけずに
やってくれ
バカな!
深いところに
まだ弾が
残ってるんだぞ
ニューヨークまで
約800キロ……
よっ
麻酔なんぞで
眠くなっては
かなわんからな

ビーン!
まだやる気なの!?
やつから半券を
奪い返した上
取り引きにも
間に合わんとな

お前には感謝してるぜラリー
なんせ病院にもサツにもオレを連れていかなかったんだからな……
私としちゃこの後はウチに入院して欲しいんだがね
X線を見ないと足の骨の状態も……
たのむぜドクター
どうせこの診療に関しちゃカルテを残す気はないんだろ？
まァな
ねェビーン感謝するって事はあたしに借りを作ったたって事でしょ？
ハンデとして計算に入れてくれるわよねーっ♡
……いいだろォ
……場所以外の情報を教えよう

CHAPTER40／END

こうして本が出せたのも…
みなさんのおかげです

Staff's notes ⑤

コメンテーター＝園ヤン

▶遠藤浩（クスリ指に指輪）

べつにかまわんが「カカッ」とか「ウッフーン」とか仕事中に変な音波を発生させるのをやめェ！

▶田巻久雄（馬のシッポ頭）

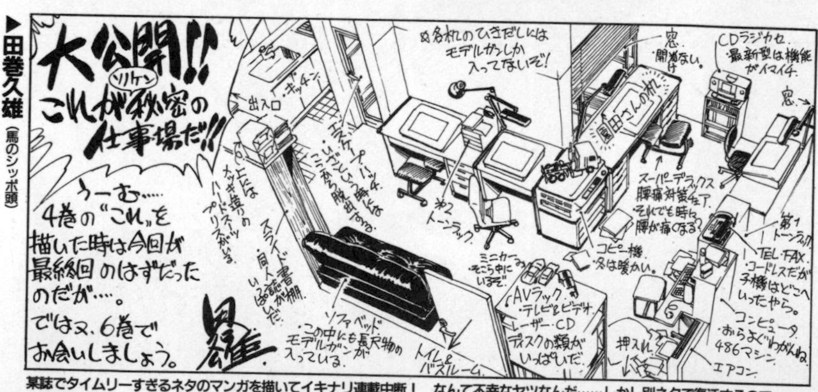

某誌でタイムリーすぎるネタのマンガを描いてイキナリ連載中断！　なんて不幸なヤツなんだ……しかし別ネタで復活するので応援してくれ！

CHAPTER41
N. Y. HIT

BUSES ONLY

DR MARTIN LUTHER
BOULEVARD
WARNING
Coca-Cola
WALK
THE NEW YORK OBSERVER
1-USA-267-0001

ドロロロロロロ….

一つ質問しても いいかしら?
……言ってみな

あなたみたいな お金持ちが どうして 仕事を選ばずに 金額次第で運ぶのか 知りたいのよ

どうして 金持ちだと?
この車を レイクウッドで いきなり現金買い したじゃない

フロントグラスが
抜けた車じゃ
寒くてかなわん上に
サツにも目立つ
だろォが
それに
今回の契約じゃ
必要経費は全部
クライアントに
請求できるんだ

あのときの
医者にも
数千ドルは
渡してたわね
おまけに
あなたの家の
地下には
車がいっぱい……
浪費家だからな……
金なんか
いくらあっても
足りゃしねェ
それに 仕事を
選んでねえって
わけじゃないぜ

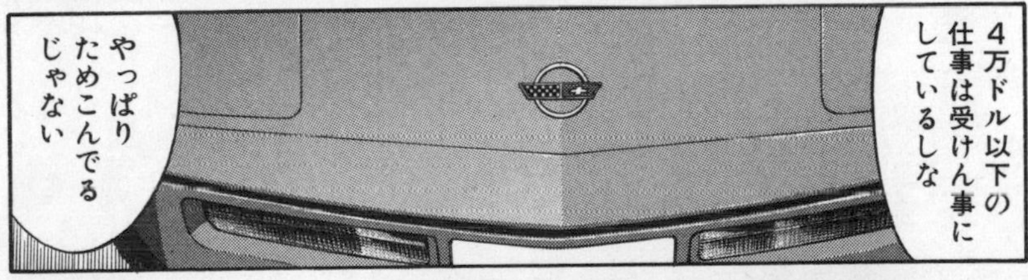
4万ドル以下の
仕事は受けん事に
しているしな
やっぱり
ためこんでる
じゃない

……オリジナルの車を
作りたいんでな
ムスタングを
あそこまで
いじってれば
もう充分
オリジナルじゃ
ないの？

※アメリカで有名なコピーサービスのチェーン店。たいがい24時間営業で、作業台、パソコンも置いている。アメリカのオタクはここで同人誌を作る。

バギャッ
ピーッ…
ゴロロロロロッ
!

……あら

ガッガッガッ…
Dear Becky,
Try to find out as much
as you can about
this female driver,
I know it's not much
CORDLESS
YIMS
FAX

なんですってェ
メイ達がこっちに!?
そ!
今からホテルの場所と連絡先をFAXするわ
それにしても車でよくそんなに早くニューヨークに着けたわねェ
え!?
うそ……

どオして!?
ビーンとは
勝負してる
敵じゃないの!?
まァ色々
あってね
……
ちょっと
どーゆう
……
話せば
長くなっ
ちゃうのよ
とにかく
女ドライバーの
情報を
たのむわ
ガッガッ

キッ
あ……

ビーン……
あの
裏切り者ォ
あんな
体で……
シュッ

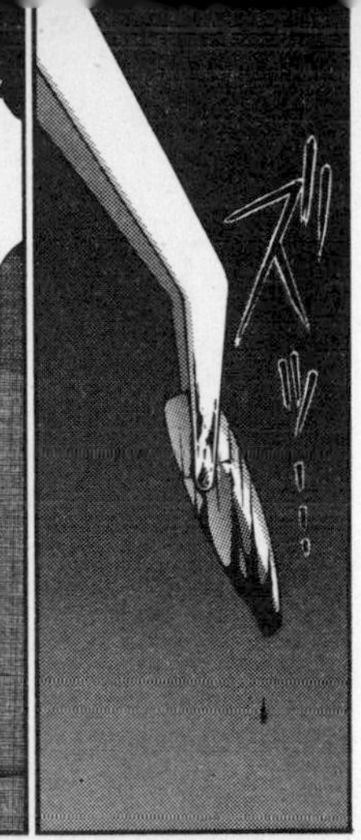
ズッ
ズスッ……

くっ!!

あんたの着てたジャケットはすごいな
NATO弾がほとんど内臓には達していない

ビーン!!ケロシンを運ぶなんてどういう事!?

……ゴールディがいなくなったと同時にシカゴからケロシンのルートが消えた

だが市場は当然残ったわけで他州ルートの相場がはね上がった
輸送料をかけても充分に利潤が出るほどな……
痛っ!!

──でもなぜビーンが引き受けるのかわからないわ
依頼者も自分の手駒を使った方がいいはずよ

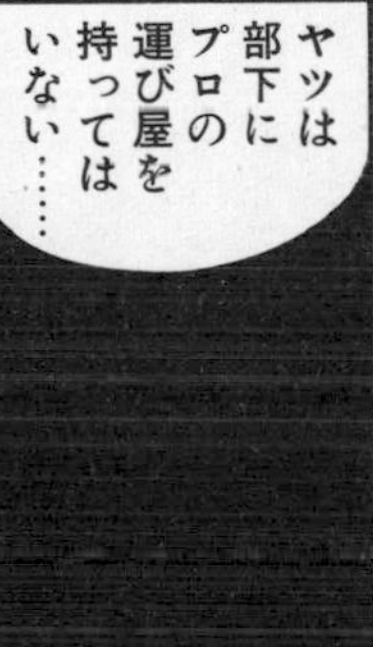
ヤツは部下にプロの運び屋を持ってはいない……

──で
信用のある第三者のオレが選ばれたわけだ

わかったら
さっさと
消えな!

ケロシンが
からんでると
なったら　ますます
引き下がるわけには
いかないわ!!

そうくると
思ったよ
まァ　どうしても
乗せてほしいって
言うんなら
運転交代要員として
雇ってやらん事も
ないがな

どうする?
ここで
別れるか?
オレはそれを
望むがな

……
わかったわ
雇って
もらうわ

もらうわァ?

……
お願いします
雇って下さい

よォし
雇ってやる
今度はこっちの
貸しだな

何が貸しよっ!!
ゴンッ
ギャラを払ってないくせに!!
kinko's

あと20時間……
メイ達と合流するしかないか……
新世界食品公司
槍神
GUNS&AMMO

キンコーン
あら……
槍神

はァい！ジャニス
ホプキンス先生!!
先生ってのはちょっとやめてくれない？
なァに言ってんですか！3年半ぶりですか
ガンショップのオーナーやってるってハオばあさんから聞いて　びっくりしたわよ
オーナーと言っても実は副業なんですけどね
やっぱり不景気のあおりでコールガールの方の実入りがよくって……
カタギだけじゃ食ってけませんよ
お店だって店員まかせで空けちゃう日が多くて……
先生からのTELがなければお客とってたかも
槍神
GUNS & AMMO
BROWNING

でも仮にとはいえ
お店を持つ事が
出来るほど
稼げたのも
先生のおかげ！
先生のテクニックは
ホント凄かった
ですからねェ
あ　あは……
そんな古い
話はちょっと
──で
そんな
先生と一緒の
幸せな
男の人って
どんな人
なんです!?

ま　まァ
そーいう話は
置いといて！
ここで銃砲店
やってる事を
見込んで
頼みがあるん
だけど
はァ……　でも
N.Y.州だから
ショットガンと
ライフルしか
ありません
けど……

そこはホラ
チャイナタウンの
お店じゃない？
蛇の道は蛇！
そこで
大至急
調達して欲しい
物があるのよ
わかりました
先生の頼みと
あらば
──で
なんです？

あのね
……

ポン
ポン

気を悪くせんでくれよ
ミスター・バンデット
客に無礼をはたらくつもりは別にないんだが
お前さんの噂は色々と聞いているのでね

安心しろ
あばれるほど元気がないんでな

こっちもそちらをハバを効かせてるN.Y.で組織と見込んで来たんだからな
――でこの2人か？

あんたと同じくシカゴから来たタブスグループのジョーンズと……
女運び屋のリフ・ラフか

早ければ今朝あたりN.Y.入りしたはずだ……そいつらの今の所在を知りたい

ワイルダーとのケロシンの取り引きを邪魔されるからか？

……なぜ
知ってる？
こんなワシだから
情報を聞きに
来たんじゃ
ないのか？
——で
どうなんだ？
その前に
聞きたい
事がある……

昨日
ウチが使ってる
ガスマンという
情報屋から
その件の情報を
ムリヤリ聞き出した
男がいるんだ
お前の
関係者か？

ふ……
ポカをすぐに
クライアントに
知られちまうとは
たいした情報屋じゃ
ないな
いや
そうでもないぞ
監視役を
付けてなければ
わからなかった
その男のいる
ホテルが
さきほど
わかったんで
始末屋を
向かわせたん
だが……
知らんね
いくらでも
殺せば
いいだろう

よおし
商談成立!!
ぱしっ
手付け1万
成功報酬2万だ

30分以内に
振り込む事にする

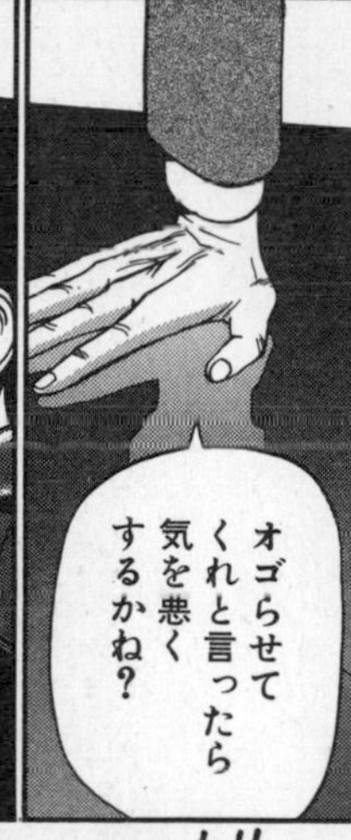
オゴらせて
くれと言ったら
気を悪く
するかね?

ウチの下で
働かんかね?
私なら君に
おいしい仕事を
いくらでも
紹介できる

人に借りを作る
つもりも
下につく気も
ない……
ガチャッ
情報は
携帯電話に
頼む

バタンッ
いけ好かん野郎だ
……歩き方が少し変じゃなかったか？

フラッ

どっ…

くっ……
情報が漏れすぎている……

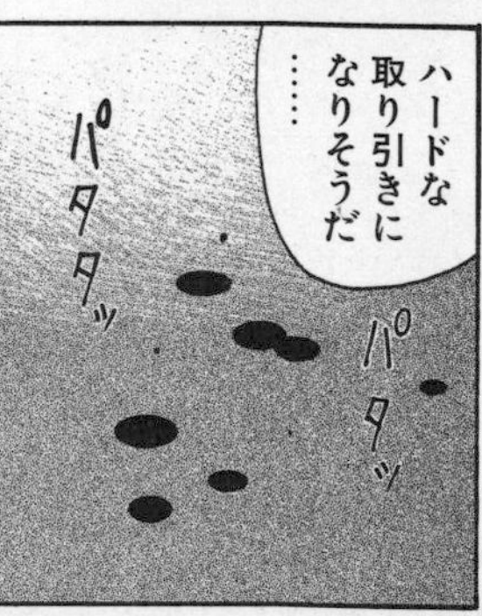
ハードな取り引きになりそうだ……
パタタッ
パタッ

プルルルッ

はアい♡メイちゃんでエす！
チャッ

あら　ラリー
やっと着いたの？
……色々
あってね
今は近くの
駅の公衆電話
なんだけど
そっちは何か
わかったの？
うん！
早く来てよ
隣の部屋が
空いてるから
チェックイン
するといいわ
シャワーやら
身じたくも必要
でしょう？
ケンは
いるの
？

じきに
帰ってくる
ハズだけど……
じゃ
今から
行くわね
あ
ちょっと……

このホテル
密かに
武器チェックが
厳しいらしいの
いつもの銃は
ロッカーにでも
隠してから
ホテル入り
した方がいいわ
どーして
そんなホテルに
したのよっ!!
チェックインしてから
気が付いたんだもん

……OK！ところでケンにお金貸してくれるように言ってくれない？
どうしたの？
ほら いつまでも街中で皮のライダーズスーツってわけにもいかないでしょ
カードの残りがマジでやばいのよ
はーいはい
ガチャッ

ありがとうございます
強力的で助かりますわ

あ あのォ これはドッキリカメラのルームサービスって事は……

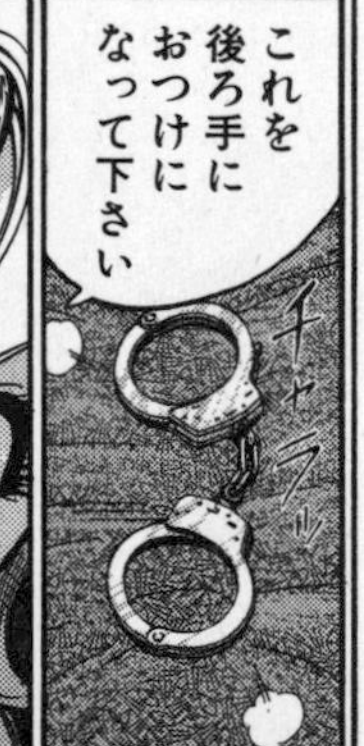
これを後ろ手におつけになって下さい

ヤバイ!! マジだわ

カチョッ
彼女からのノックがあったら開いてると言って下さい
……
安心して下さい急所は撃ちませんから
殺しはしません

私の目的は男の方ですから
2人にはその男性を釣る人質になってもらうつもりですので
コンコンッ
メイ！あたしよ
いるんでしょ？

CHAPTER41／END

CHAPTER42
CROSS FIRE

ばっ
パシッ
!

ドーン
ドーン

カキッ
ズバッ
あ……

バンッ
どっ…

ヒュッ
カシッ
さあ
手を頭の
上に乗せて
ど……
どうして……
コートで
からめたのは
銃を取るため
じゃなくて
銃口の向きを
固定する
ためよ
ここの
……

ペーパーバックにね……
わかっていたんですか……
なぜ……
メイならあたしがいつもと違う銃を使ってる事を知ってるはずよ
それを電話で"いつもの銃"って言ってくれたからピンときたのよ

どっ

グロックは本当にロッカーに預けてきたの?
ん—っ!
ま……ね見つかったらマジにシャレにならないから

鍵はコートの中にちゃんと……
ゴソ…
タマが当たってたの!?
あちゃー……
あ……

このPPKを
使わせてもらう
として……
9ミリショートが
あと4発か……
ラリー　ちょっと
これ見て
ジャーン♪
あ　大丈夫よ
火薬しか
入ってない
メイ・スペシャルに
改造済みだから※

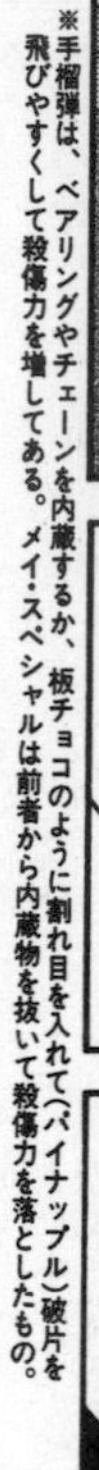
※手榴弾は、ベアリングやチェーンを内蔵するか、板チョコのように割れ目を入れて(パイナップル)破片を飛びやすくして殺傷力を増してある。メイ・スペシャルは前者から内蔵物を抜いて殺傷力を落としたもの。

紫猫館時代の
コネってやつ？
うん！
ハンドガンは？

注文してるけど
すぐには
無理だって
夜までには
なんとか仕入れ
させるわ

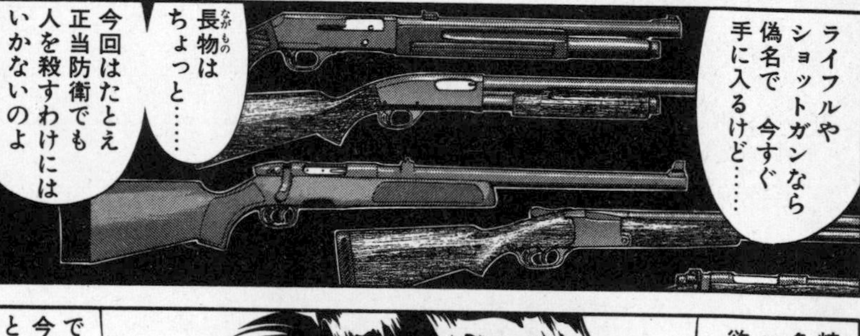
ライフルや
ショットガンなら
偽名で　今すぐ
手に入るけど……
長物は
ちょっと……
今回はたとえ
正当防衛でも
人を殺すわけには
いかないのよ

精度の高い
多弾装の
ハンドガンが
欲しいわ
でも
今の問題は
とりあえず……

ビッ
痛っ!!

さ　答えて
あなたの雇い主は誰？
シカゴマフィアのグラスかジョーンズじゃないの？
………

多分地元のヤツだよ

ケン!!
バタン
遅れてすまん
地元って……
ゴロゴロ…
ここを狙われたって事は俺かメイが目当てだろう

ミニー・メイが
接触してたのは
紫猫館時代からの
華僑のコネだから
大丈夫……
となると
俺が脅した
ヤクの相場師に
関係してる組織が
そいつを使ったん
だろうな
その相場師を
情報屋として
使っているのは
……
ピク…
情報マフィアの
〝K2〟あたりか
……

K2?
……
すまん……
俺の行動も
つめが甘かった

企業や金持ちの
脅迫を生業と
してる組織でな
このホテルも
俺がここに電話
した時に 誰かに
番号か唇を盗み読み
されたんだろう
それで
ここに潜入して
あたし達を……
違うな……
多分こいつは
元々ここの
従業員だろう

すでに職を持ってる
人間をスカウト
したって事?
それが
〝K2〟の
特徴だからな

……なぜ
知っているん
ですか?
こっちもカタギ
ってわけじゃ
ないんでね

でも
あんたから
聞き出したって
噂を流しても
いいんだぜ
……何が望み
なんですか？
私はこの部屋の
2人を殺せと
命令を受けただけで
何も知りませんよ
……ニセの
報告をして
欲しいわ
どうする？

この2人と
あたしを含む
3人を　司令通り
始末したっていう
報告をね……
K2からケロシンの
取引先の方に
情報が行っても
これなら計画を
変更されずにすむわ

なるほどね
SAVES
PARK
PEOPLE'S
PHARMACY

ガロロロッ
ザッ
キッ
チカッ
ロックか
さすが"K2"の情報だ
ザッ

ビ……
ビーン!!
「ロックという男とここで待ち合わせ」ってな
高い金取るだけあって正確だぜ
ばっ

半券を返してもらうぜ
利息をつけてな

生きていたのか……

ガシャッ
!
ズガッ
ハアッ!!

ザッ
グキッ
ガクッ
!!
バキッ
お前がロックか？
いーや！
ビーン・バンデットだよ

バキッ
どっ
人目につく前に早くとどめをさせっ!!
パキンッ
キッ
!
ロック!サツだ!!
早く乗れっ!!
KAR 98K

ゴオッ
ギャギャ

ザザァ

フィーン

う……
ガムッ

ハイ！
音だけでも役に立つもんだろ？

あの時はすまなかったな
助けにきたぜ

リフ……
お前か……

……

気にするな
どうせあれじゃ
サツに捕まって
取り引きを
ジャマしにくる
どころじゃない

ああ……

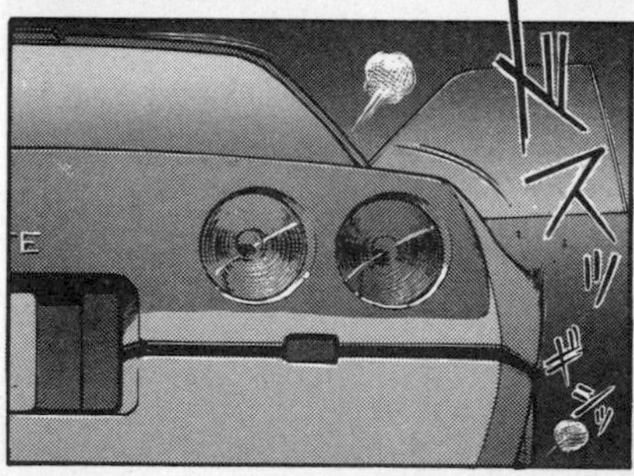
ドスッ
ギュッ

重いなァ
あんた……
一体 何キロ
あるんだい？
バカヤロ！
ナビに乗せて
どうする
よく言うよ
1人じゃろくに
歩けないくせ
しやがって……
好きな所に
連れてって
やるよ

あ……
ドスッ
一番低い
バケットを
後部にセット
してるんだぜ

そっちのナビの
シートと
載せ換えりゃ
問題ないよ
ほらよ
モルヒネ
射っといた
方がいいぜ
傷口……
開いてるんだろ？
偽名でも手当てを
してくれる病院が
あるんだ……
そこに行くよ
とりあえず
今は休んで
ジョーンズの
帰りを狙って
取り戻す方が
得策だと
思うけどね
パクッ

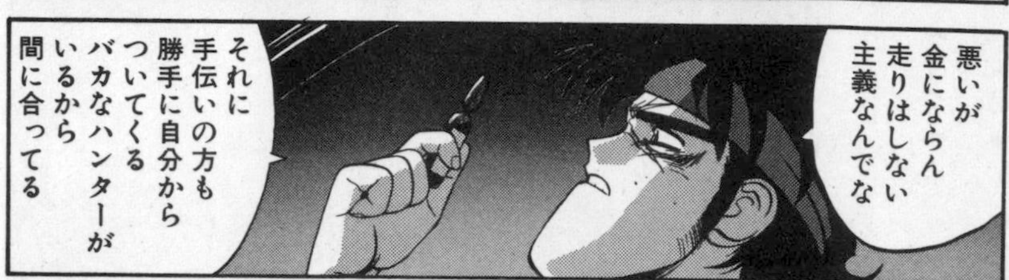

※パソコン通信

※本来はパソコンの信号経路のこと。この場合、パソコンに機能を付け加えるための拡張スロットのこと。

※コカインなどのように興奮して高揚する、いわゆるハイになる薬を俗にアップ系。逆にヘロインなどのように眠気をさそい、夢見心地になる薬をダウン系という。

KEEP OFF

チカッ
チカッ

ガァーーッ
出入口すべてクリアーパトカーも大丈夫
これで安心して取り引きができるというもんですな

ミスター・ビーン
いやロードバスター

ところでそちらの方は？
ロードバスターは常に単独だと聞いてましたが……
臨時のマネージャーですよ地元以外じゃ色々あるもんで

やばいなァ……来ちゃったじゃない
メイったらすぐにハンドガン手に入れて来るって言ったくせに

ライフルでも良かったんじゃないか？
遅れるとわかってればそうしてたかもね

こっちは9ミリショート4発こっきりだってのに
MINOLTA

あちらはここから視認できるだけでも4人と……
ジョーンズ側に2人……

みんな大型の銃を持ってるようだし……

ジョーンズってのがここに来たって事はもうビーンは来ないんじゃないか？
となるとこの勝負はラリーの勝ち……この取り引きは見過ごすべきだ
〝ケロシン〟がシカゴに運び込まれるのを黙って見てろって言うの？
こっちのエモノはメイの手榴弾と弾４発のピストル……
何ができる？

ＯＫ！
商品の確認をどうぞミスター・エバンス
FEDERAL RESERVE NOTE
THE UNITED STATES OF AMERICA
C79589535A
ONE DOLLAR

！
グラス氏から聞いてませんか？
立会人のエバンスです
なんと言っても……
100キロの〝ケロシン〟の原液ですから
ラリー……もしここにビーンが来たらどうするつもりだ？
え……？

ビーンとの勝負に勝つつもりならジョーンズに味方する事になる……
ジョーンズらを倒す気ならビーンとの勝負には勝てんだろう

両方とも敵に回すというのならまず勝ち目はない……
警察へタレ込むのが一番だと思うが……

……OKです

では荷を彼の車へ……

ん……!?
KEEP OFF

ガチャッ
ギシッ
NEW YORK
ZZ TOP

ミスター・バンデット車が変わってるようですが……
ポリス対策としてよくある事ですよ

しかしナンバー変更の報告はグラス氏から聞いてないんですがねェ
NEW YORK
ZZ TOP

CHAPTER42/END

CHAPTER43 GAME SET

ズフォゴッ
キュバッ
ザザーーッ
キュッ
ドッ
NEW YORK
KAR 98
チャッ

ガバッ
遅れてすまんな
カシッ
動くな!!
ロードバスターだ
何ィ!?
こいつはニセ者だ!!すぐに始末しろ!!

お前が勝手にうちの部下に命令するな!!ここで仕切るのはワシだ!!
くっ……
!
CORVETTE
NEW YORK
KAR 98K
ミスターワイルダー
このコルベットのナンバーは昨日グラス氏から連絡があったものと一致します

だから俺が本物なんだよ
カルマンから俺の車へブツを移しな
大体こんな非力な車にロードバスターが乗ると思ってんのか?
ZZ TOP

これは盗難車なんでな……州を出る時に乗り捨てるつもりだ
第一本人だと言うんならなぜ半券を持ってないんだ?

俺達が奪った
とでもいう
つもりか
ならどうして
その事をグラスに
伝えない？

よく言うぜ
俺のプライドが
それを許さんと
いう事をお前らも
確信してたん
じゃねェのか

私がグラスと
交わした約束は
半券を持った
ロードバスターと
名のる男に
ブツを渡せという
事だけだ

君が本物
だとしても
ここに来るべきでは
なかった

私は君を
ブツの受け渡し
現場を見られた
第三者として
処理しなけりゃ
ならん

あるヤツと
この仕事で
勝負してたん
だが……
死んじまってな
……

！
そいつの死を
無意味なもんに
しないためにも
投げる訳には
いかないんだ

この場でこの
〝ロードバスター〟
から力ずくで
奪うつもりか!?
はっ!!
このニセ者がァ!!

雇われチンピラが偉そうな口きくんじゃないよ!!
リフ!?
その丸メガネはシカゴのドラッグバイヤーのタブスグループのジョーンズだ!!
だ…
ケロシンのシェアは拡大したのにイタリアンマフィアが撤退した後で対応できない!!
だからこいつはこれを奪おうとしたんだ
ロードバスターの名を騙ってね!!
バッ
だまれ!!
カチャッ
ゴリッ
!
パン
パン

動くな!!
勝手な発砲は許さん!!

撃ってはおらん……
何だと?

ミスターワイルダー後ろのトラックあたりです
!
少なくとも第三者が1発撃っています

あんな奴らの言う事を信じるのか!!
黙っていろ!!
シャッターを閉めろ
外で見張っとけ

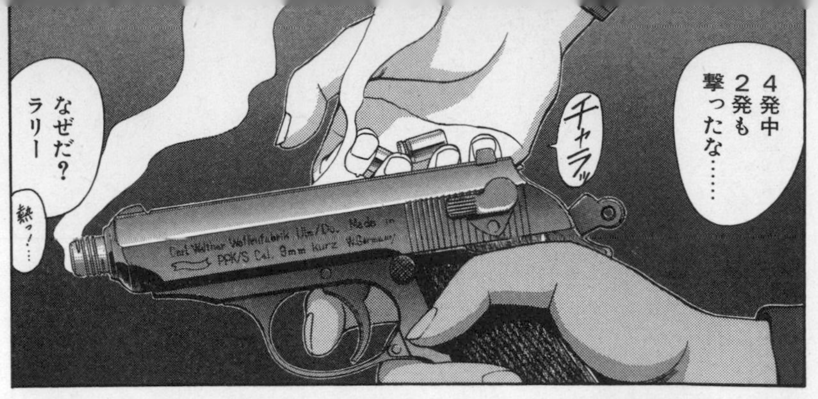
4発中2発も撃ったな……
チャラッ
なぜだ？ラリー
熱っ！…

初弾は照準と着弾のズレを見きわめるために必要だったのよ
……バレたかもしれないけど

残り2発とメイスペシャルの手榴弾が2個……ビーンの味方に名のり出るには不十分だな

ガラララッ
シャーシャーッ

あ！……

どういう事だ!? これは!!

私はすでに半券を持った男にブツを渡した！
あなたとの取り引きはすでに終わったという事だよ

私との取り引きが済んだ後であんたが誰と争うハメになろうが知った事じゃない！

逃げ帰るんなら
シャッターが
しまりきる前に
した方がいいと
思うがね
実質的な
契約違反だ!!

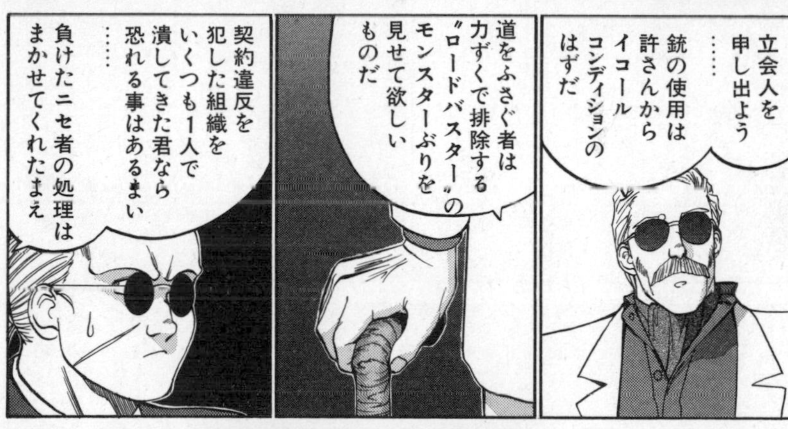
立会人を
申し出よう
……
銃の使用は
許さんから
イコール
コンディションの
はずだ
道をふさぐ者は
力ずくで排除する
〝ロードバスター〟の
モンスターぶりを
見せて欲しい
ものだ
契約違反を
犯した組織を
いくつも1人で
潰してきた君なら
恐れる事はあるまい
……
負けたニセ者の処理は
まかせてくれたまえ

イキな
はからいを
感謝するぜ
Mr.
ワイルダー

さァ始めるか……
本物の〝ロードバスター〟さんよォ
ジーッッ

幾らで手を打ったか知らんが命を賭けるだけの額は貰ってるんだろうな
チッ
……俺にぶっとばされた事を忘れたのか？

てめェの右手に聞いてみろよ

え……はい
廃トラックの
あたりに？
ガリーッ

チャッ
分かりました
チェック
します

カシャン

バレてる
みたいだぞ
え……
誰か
こっちへ
来る

ゴキッ
ゴッ

左ジャブか……
ボクサー崩れってトコか……

ビーン!
手ェ出すなよリフ!!

ほざくな!
よける事もできねェボロボロの体しやがって
トッ
トッ

ふんっ!!
ダッ
ガガッ
効か……

ガッシャン
ギシッ

お……

なぜ右を出さん!?右だ!!

何のつもりだ
エバンス!!
プッ…

こいつは
コークを
やってますよ
!!

せっかくのヘビー級のゲームに水を差すな!!
ミスターワイルダー!!
ドラッグ・ディーラーが絶対に取り引きをしてはならない相手です!!
カッ

こいつはジャンキーですよ!!
仕事の場にコークを決めて来るようなね
ズボッ
こいつはニセ者として始末するべきヤツです!!
ゴッ
!

ゴオッ

かァっ!!
うわっ!!

あと1発!!
ラリー
おりるぞ!!

何をしてる！
早く右で
片づけろ!!
こいつを
ふっとばした
時のあの
ストレートだ

くっ……

鍵が!!
……
どいてろ!
錠をトバすっ

プラ爆弾持ってたの?
練りゴムに手榴弾から抜いたパウダー混ぜただけだ

てめェら!!

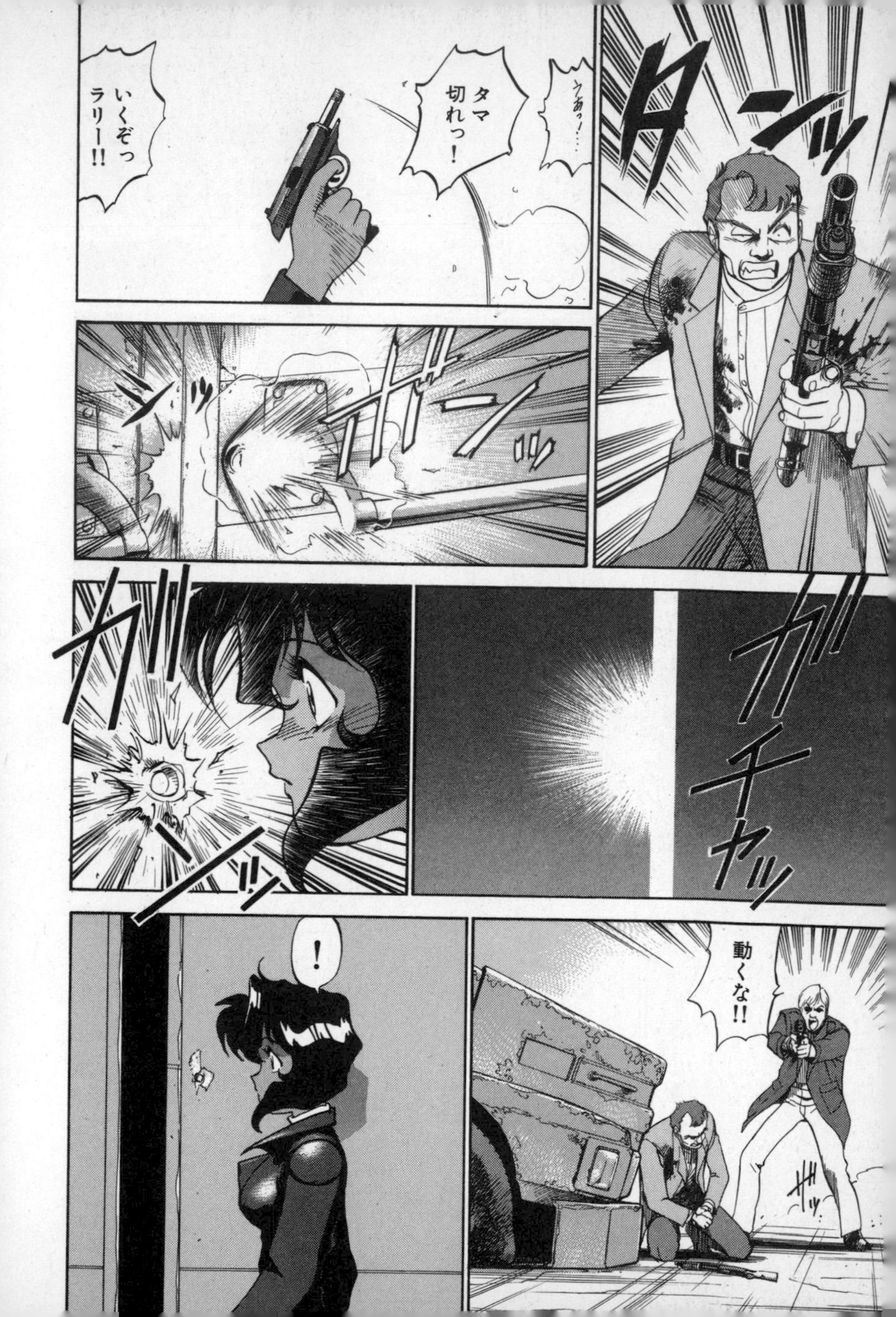

タンッ
うあっ!…
タマ切れっ!
いくぞっラリー!!
ガーン
ガガッ
ガチャッ
ガン
!
動くな!!
ザッ

２人とも
持ってる物を
床に置け!!
ゆっくりと
な！

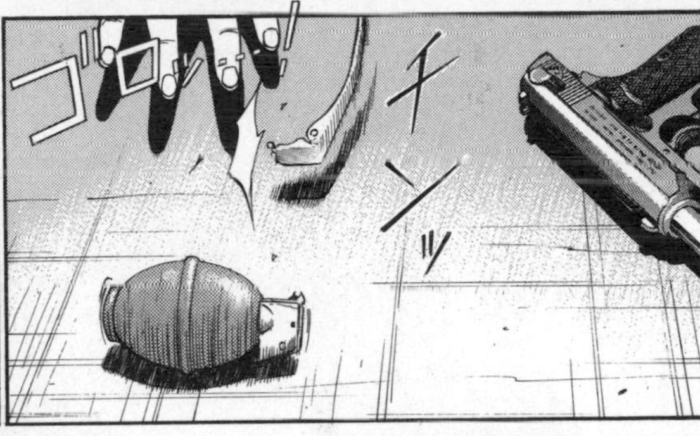

おっ……

ひ…
コンッ
スッ…

パパパパパ
ッ

本物のCZ75……しかも旧型！
苦労したんだから遅れたのはカンベンしてくれる？
当然!!

ニューヨークでこのコが手に入るなんて思わなかったわ
!!
これだけのファイアパワーがあれば……
やる事はひとつ！

キサマ……
まさか
あの時……!

お……お……
ああ……あの時
こいつが俺に
右ストレートを
かました時にな

カウンターで
こいつの拳に
俺の顔を
ぶつけたんだ
バンデージや
グローブで
拳を過保護にしてた
奴にはキツかった
かもな……
……
バックマン
頭を狙え

さてと……
勝者としての
ほうびは
いただいてくぜ
ワイルダー

!
彼のナンバーが
違うと気づいた
時点で
この取引きは
中止すると
決めてたんだ
今のファイトは
余興だよ……

ミスター!車に乗っていてください!
さっきの爆発のあったトラックの場所……
2人がやられたようです
!!
何ィ!?
バックマン!!こいつを殺してトラックの方を処分してこい!!
カン
パーン
タ
くっ!
ガガガガガーン

※グリップの後方上部についている、親指とひとさし指のつけ根で押しこむタイプの安全装置の名称。これが押しこまれていないとトリガーは引けない。

ヤツの目当ては
多分この俺と
ケロシンのハズだ
俺とブツを
ここに残して
全員引き上げ
させた方が
いいぜ
何言って
やがる!!

この取り引きに
首つっこむヤツで
これだけ離れて
銃のセフティを
ブチ折る事が
できるっていやあ
……
ニッ…
やっぱり
生きて
やがったか
……

おい!
決着をつける
つもりなら
さっさとしな!!
でねェと
ブツは俺が
運んじまうぞ!!
オーケイ!
ヤケド
しないよう
気をつけて!!

メイ!!
はいっ!
バババッ
カカカッ
手榴弾の信管!?
カラララッ
パパパパパパ
パシャッ

うわぁああああああ——っ!!

撤収だ！
武器をしまえ
発砲はするな!!
燃えている車から
ベンツを離せ！
早くしろ!!
カァンッ！
ケロシン100キロが
燃えてるん
ですよ!!
ミスター！
消さないん
ですか!!
私の方には
すでに入金が
確認されたから
燃えても
ソンはない
第一 危険だ
〝ケロシン〟の煙を
すいこんでしまったら
ブッ飛んでしまうし
消防も来るだろう！
本物の
ビーン君も
早くこの場を
離れた方が安全
だと思うが……
よく言うぜ
殺そうとしてた
くせしやがって
あ－…
ゴォォ
君のファイトで
気が高ぶって
いたんだ
勘弁しろ！
ロードバスター
の相棒を
敵にまわす
つもりはない
相棒？
殺す事なく
全員の戦力を
奪うとは さすが
君の相棒だ

そこの2人をアウディに乗せて連れてこい！
イエッサー!!
ガムッ
ドロロロ……

2人とも手錠はめて乗りな!!
あんたらを銃撃したビンセントを見逃すつもりか!?

引きぎわと戦うべき相手を知ってるだけだ！
私を騙そうとした上に勝負に負けたお前らは見逃さんから安心しろ!!

ドロロロ…
グォンッッ

はァい
ビーン
あたしの
勝ちでしょ?
はーい!

そうだな
……
大した
もんだ

ケロシンを
燃やす事が
できたし……
喰らいついた
かいが
あったわ
本当の目的を
果たせたって
ヤツか?

CHAPTER43/END

こうして本が出せたのも…
みなさんのおかげです

Staff's notes ⑥

コメンテーター＝園ヤン

▶いはらかつまさ（馬のシッポ・パート2）

チャチャにはまってるらしく、遠藤くんにそそのかされたせいもあってミュージカル版を見にいく気になりつつあるらしい……ホントに行く気か？

▶宝谷幸稔（『クリスタニア』アニメ化）

ガンスミのアニメ化に銃器設定で協力してくれています。アリガトウ！

「GUN SMITH CATS」第5巻は、アフタヌーン'94年1月号から同年9月号に掲載した作品を収録しました。
編集部では、この作品に対する皆様の御意見・御感想をお待ちしております。
また、今後「アフタヌーンKC」にまとめてほしい作品がありましたら編集部までお知らせ下さい。

東京都文京区音羽二丁目十二番二十一号
〈郵便番号一一二─〇一〉
講談社「モーニング」編集部
アフタヌーンKC係

N.D.C.726　223p　19cm

アフタヌーンKC─96

GUN SMITH CATS（ガンスミスキャッツ）⑤

一九九五年　二月二十三日　第一刷発行
（定価はカバーに表示してあります）

著者　園田健一（そのだけんいち）
発行者　山野勝
発行所　株式会社講談社
東京都文京区音羽二─一二─二一
郵便番号　一一二─〇一
電話　編集部　東京（〇三）三九四五─九一五五
販売部　東京（〇三）五三九五─三六〇八
印刷所　廣済堂印刷株式会社
製本所　株式会社　光洋製本所

落丁本・乱丁本は小社雑誌業務部にお送り下さい。送料小社負担にてお取り替えいたします。なお、この本についてのお問い合わせはモーニング編集部あてにお願いいたします。

ISBN4-06-314096-2（モ）　Printed in Japan

アフタヌーンKC
講談社